论语

鲍鹏山讲

青少年版

（下）

鲍鹏山 著

U0784284

中国出版集团
東方出版中心

目录

《论语》和我们的气质

《论语》和我们的人生

《论语》和我们的气质

第二十五讲 温良恭俭让

大家好，我是鲍鹏山，我们接着来讲《论语》。

在上一讲里，我们讲到了孔子的“子绝四”：“毋意，毋必，毋固，毋我。”

孔子很反感这四个东西：凭空想象、绝对肯定、固执拘泥、自以为是。所以，他自己就把这些毛病克服了。

◎温良恭俭让

我在第十三讲里曾经讲到，《论语》里有一个内部平衡，什么叫“内部平衡”呢？就是《论语》里的话，都是在特定的场景下说的，它有一个空间和时间等的限定，所以，它确实说了很多的观点，但是它一般不做绝对的判断。所以，我们可以把《论语》中的话，看成一个建议，是一个和对方商讨的观点。这样说话，当然让对方乐于接受。而这样说话的人，也就有了一种特别的亲和力。

孔子，就是一个特别有亲和力的人。

这一点，他的学生早就发现了。我们来读第一篇第10章：

1.10 子禽问于子贡曰："夫子至于是邦也，必闻其政，求之与，抑与之与？"子贡曰："夫子温、良、恭、俭、让以得之。夫子之求之也，其诸异乎人之求之与！"（《论语·学而》）

什么意思呢？有一个人，也可能是孔子的学生，叫陈亢，字子禽，他发现了一个很有意思的现象，他的老师孔子每到一个国家，就一定能够很快了解那个国家的政事。他觉得老师太神奇了，于是就向师兄子贡提问："我们老师为什么那么快就了解到一个国家的情况呢？是他主动请求别人告诉他的呢，还是别人主动告诉他的呢？"子贡说："我们的老师是以温良恭俭让的态度得来的。他老人家获得信息，总有他自己独特的方法吧！"

说到这里，我要先说一下这一次对话，实际上有一个前提。这个前提在《礼记·曲礼》上有这样的一段话："入境而问禁，入国而问俗，入门而问讳。"意思是，我们如果要到一个地方去，就要问问那个地方有什么禁忌。千万不要犯了这个禁忌，这是对别人风俗的尊重，这就叫"入境而问禁"。什么叫"入国而问俗"呢？就是到了不同的国家，要问一下这个国家的风俗，知道他们的风土人情，知道他们的一些讲究、一些礼仪、一些礼节，得照着去做。那什么叫"入门而问讳"呢？到别人的家里面去，就要问一问这个家庭里面有没有什

么忌讳。

鲁迅先生曾经讲过一个很有意思的事儿，他在《阿 Q 正传》里面讲到，阿 Q 这个人头上有一个癞疮疤，于是他就很忌讳别人说疮啊、疤呀。到了最后，甚至连光和亮都要忌讳了。你们要是到阿 Q 的家里去，如果不知道他的忌讳，动不动就说疮啊、疤啊、光啊、亮啊，他就不高兴了。他就会把你们从他住的土谷祠里赶出来。

所以，“入境而问禁，入国而问俗，入门而问讳”，这不仅仅是求得知识，更是对他人的尊重，是人与人之间和平相处的一个特别重要的原则。

那么子禽问子贡的这个问题也很有意思。

子禽问的这个问题并不重要，有的时候我们就得主动去问。但是如果别人愿意主动告诉我们，当然也很好了。是自己主动问还是别人主动告知，这不是问题的关键，所以，子禽这个问题问得不得要领。因此，子贡也并没有直接回答，是别人主动告诉孔子呢，还是孔子主动地去问？子贡只是告诉子禽，说：“我们的老师之所以能够很快地获得这个新的国家和地区的风土人情及政治状况，是因为他拥有一种常人不大具备的气质，这个气质就是五个字：温良恭俭让。”因为他温良恭俭让，所以，别人很愿意跟他敞开心扉，把所知道的一切都告诉他。

孔子如果问，人家当然会和盘托出；孔子不问，人家也可能主动介绍。所以问和不问不是问题，如何让人家真诚相告才是问题。

子贡比起子禽，确实更能够抓住问题的关键。

◎ 适可而止

这五个字，温良恭俭让，内涵很丰富。我接下来就要慢慢地一一地解读这五个字。先说“温”。

温，温和，不激烈，不尖锐，不尖刻。这是讲一个人的态度，对世界、对他人的态度。一个人的态度就是一个人的温度。冷冰冰的态度，温度太低了；热辣辣的态度，温度又太高了。冷冰冰的态度，是对别人漠不关心，甚至这种冷冰冰的态度，表示一种拒绝，拒人于千里之外。热辣辣的态度，一时半会儿很好，但是如果一直这样热辣辣的，人家也受不了，为什么？因为你干涉别人了，强迫到别人了，灼烧到别人了。所以，过分的热情也不行，这里还需要分寸。我们看看4.26，子游的一番话讲得就很好：

子游曰：“事君数，斯辱矣；朋友数，斯疏矣。”（《论语·里仁》）

子游说：“事奉国君，如果过分热心，就会招致羞辱；对待朋友，如果过于迫切，反而会被疏远。”

凡事都要有度。对人忠心耿耿，关怀备至，当然好，但是也要有分寸。劝谏别人，别人不听，也就要适可而止，如果你喋喋不休，反而会招人厌烦，被人疏远。

其实，人生在世，面对很多人，我们都是有责任的。但是，这些责任往往只是有限的责任，不要越俎代庖。

12.23　子贡问友，子曰：“忠告而善道之，不可则止，毋自辱焉。”（《论语·颜渊》）

子贡问老师："老师，交友之道有什么讲究啊？"孔子说："给朋友忠诚的劝告和委婉恰当的开导，但是，如果他不听，就算了，不要自找侮辱。"

所以，冷冰冰不好，热辣辣也不好，最好的就是孔子的这个态度：温。

◎ 硬心肠

我来讲个故事。这个故事是《论语》的14.39，我先读一下这个原文：

子击磬于卫，有荷蒉而过孔氏之门者，曰："有心哉，击磬乎！"既而曰："鄙哉，硁硁乎！莫己知也！斯己而已矣。'深则厉，浅则揭'。"子曰："果哉！末之难矣。"（《论语·宪问》）

说孔子在卫国，有一段时间很无聊，理想不能实现，思想也不被理解。有一天，他心情有点郁闷，就敲着一种叫磬的打击乐器，纾解自己心中的郁闷。这个时候，有一个挑着草筐子的人，从孔子门口经过，听到有人在里面击磬，就停下来，听了半天，说："这个击磬的人心思很重啊，你听听这个磬声就知道了！"说完，又听，过了一会儿，又说："嘿，这个击磬的人，境界不高啊，不通达啊，你听那硁硁的声音，就像是在抱怨没有人了解自己！这有什么好抱怨的呢？既然人家不了解自己，那就索性算了罢。《诗经》上不是有这么几句诗吗？'匏有苦叶，济有深涉。深则厉，浅则揭。'"

这个挑草筐的人引用《诗经》上的话，是什么意思呢？我把它翻译一下："大葫芦儿有枯叶，济水上面有渡口。水深连衣泅过去，水浅撩衣蹚过去。"

他是以过河为喻，如果水浅，我们可以撩起衣服过去，这样就不会弄湿了衣服。可是如果水已经很深，已经没办法保住衣服不被打湿了，还犹豫什么，还计较什么？直接穿着衣服扑到水里，泅水过河得了。能保住衣服当然保，如果都不能保住衣服了，那也就索性算了，不要在那个地方计较、纠缠了。

这一个听磬的人，他的意思是什么呢？他的意思是，如果世道还有救，那就不妨伸把手，救它一救。可是如果世道已经不可救药了，那也就不妨听之任之，随它崩溃死亡，甚至还可以同流合污。

如果大家没有听明白，我就换一句话来说吧。如果这个罐子还是好罐子，当然要小心维护，如果这个罐子已经是破罐子了，还小心什么？破罐子破摔就是了！

但是孔子哪里能够做到这样的心安理得呢？看着天下生灵涂炭，看着天下的人民苦难深重，他"末之难矣"——无法保持心灵的平静啊。

所以，孔子听到这个人的话以后，说："这个人真是一位决然且毫不留恋的人啊！可是，如果一个人不能够冷酷无情忘怀世事，要像他那样果断也很困难啊！"

大家注意到了吗？这个卫国的荷蒉者批评孔子，是两个字"鄙哉"，孔子评价他，也是两个字"果哉"。

这个人觉得孔子即使对世事万分失望，却也有十分不舍，这样的拖泥带水，是想不开，放不下，舍不得，是黏黏糊糊，境界不高。于是他给了孔子一个判词，“鄙”。

而孔子呢？觉得这个人如此果决，是心肠很硬，“果”就是心肠硬啊！我们现在有一个词，叫“果断”。什么叫“果断”？就是“果于断”，人生总有一些东西陪伴我们多日，哪怕一旦厌倦，要抛弃，要断舍，大多数人也是一步三回头。但是，就有那么一些人，理性极强，心肠冷静到冷酷，断舍之时，毫不犹豫，这就叫“果断”。对这种毫无留恋的决断，孔子给的一个词，就是“果”。

孔子能有这样“果”的心肠，有这种“果断”的行为吗？下一讲再讲。

第二十六讲 避世救人

大家好，我是鲍鹏山，我们接着来讲《论语》。

在上一讲里，我的题目是《温暖的孔子》。我说了，孔子那个时代，好多人都冷了心肠，比如我提到的《论语》14.39 中的那个卫国的荷蒉者。其实，孔子求教过的老子，也是这样的人。

◎楚狂接舆

在那个时代心肠冷掉的人多了去了。比如，《论语》中的第 18 篇，就连续记载了孔子碰到的好几个隐士，他们都对社会失望了，对世界冷漠了。

一个人叫接舆。

这个人名字怎么这么怪？我们先来看一看故事。

18.5　楚狂接舆歌而过孔子曰："凤兮！凤兮！何德之衰？往者不可谏，来者犹可追。已而！已而！今之从政者殆而。"孔子下，欲与之言。趋而辟之，不得与之言。(《论语·微子》)

这个故事很生动。它讲的是有一个楚国的狂人叫接舆，唱着歌从孔子的车旁经过，他仰着头，高声唱道："凤凰呀！凤凰呀！为何德性这么衰败？你过去做错的事已经无法更改，将来的事你还来得及改弦易辙。算了吧，算了吧，如今从政的人都是一些废人啊！"

孔子一听，赶紧下车，想同他谈一谈。他却快步地避开了，于是孔子就没能和他说上话。

看到这里，想必大家就知道为什么这个人叫"接舆"（接，迎接；舆，车子）了。此人迎着孔子的马车，仰着头，傲然放歌，忽然而来，倏然而去，孔子根本就没和他说上话，当然也就不知道他的姓名了。因为他出现的时候迎面对着孔子的车走过来，后来，孔子的弟子们记载这个故事的时候，就把这个人记作"接舆"了。

可是《论语》在记载这个人的时候，又给了他另外的一个称呼，叫"楚狂"。为什么？因为这个人是在楚国碰到的，而且此人很狂，对孔子这样的人物都敢于嘲讽，所以就给了他这么一个称号。

不过，此人也给了孔子一个头衔"凤凰"。传说凤凰是一种有道的鸟，"天下有道则见，无道则隐"。这个楚狂接舆就以凤凰来比喻孔子。但是呢，孔子处在无道之世却不能够隐退，这又实在不像是一个好凤凰，所以接舆就说他德性衰微，是一个"衰凤凰"。

顺便说一下，孔子曾经把老子比喻为龙。现在这个人又把孔子比

喻为凤。老子、孔子，确实可以称之为中国文化中的龙和凤。中国的龙凤文化，就是儒道文化。

◎长沮与桀溺

再往下看，又来了两个人：长沮和桀溺。这两个人的名字更怪。其实，他们的名字由来也是因为事发当时，孔子和弟子们并没有问到他们的姓名，看到一个长得高（就叫长），看到一个长得壮（就叫桀），当时两人又都在水田里，于是，高的就叫长沮，壮的就叫桀溺。我们来看看这一章：

18.6　长沮、桀溺耦而耕，孔子过之，使子路问津焉。长沮曰："夫执舆者为谁？"子路曰："为孔丘。"曰："是鲁孔丘与？"曰："是也。"曰："是知津矣。"

问于桀溺。桀溺曰："子为谁？"曰："为仲由。"曰："是鲁孔丘之徒与？"对曰："然。"曰："滔滔者天下皆是也，而谁以易之？且而与其从辟人之士也，岂若从辟世之士哉。"耰而不辍。

子路行以告。夫子怃然曰："鸟兽不可与同群，吾非斯人之徒与而谁与？天下有道，丘不与易也。"（《论语·微子》）

我来翻译一下。

长沮、桀溺两人在水田里并力耕田，孔子经过他们那里，让子路去打听一下前面小河的渡口在哪里。

子路走上前去，向他们打听。但是，有意思的是对方不但没有回答他们的问题，反而长沮反问子路一个问题："那个远远的驾车的人是谁呀？”

子路回答说：“那是孔丘。”

长沮说：“是鲁国的孔丘吗？”

子路说：“正是。”

长沮说：“既然是鲁国的孔丘，他就该知道渡口在哪里。”

子路一听，这话中有话，不好听，只好转过身去问桀溺。

桀溺又问子路：“你是谁呀？”

子路说：“我是仲由。”

桀溺说：“你是鲁国孔丘的学生吗？”

子路说：“是。”

于是桀溺就教训子路说：“今天世道纷乱，礼崩乐坏处处如此。你们和谁去改变这种现状呢？至于你，仲由啊，你与其跟随着孔子这种避人的人，还不如跟随我们这些避世的人呢。算了吧，别跟他走了，下来吧，跟我们一起种田吧。”

这个桀溺一边说，一边还不停地翻土覆盖刚刚播下的种子。再也不理子路了。

子路没有问到渡口在哪里，还被别人这么抢白了一番，只好回来，把那些话告诉了孔子。

孔子听了以后，很迷茫，很惆怅，叹息着说：“人是不能与鸟兽生活在一起的，我不同这世上的人在一起，还同什么在一起呢？他们说天下无道，所以要隐居。可是，在我看来，不正是由于天下无道，才要我们来努力治理吗？他们抛弃世道的理由，正是我们拯救世道的原因啊！假若天下已经有道了，我孔丘何必还要周游列国、费心地去改变它呢？”

◎荷蓧者

我们再来看一位老人家。

古时候，老年男人一般都叫作丈人，所以呢，下面这个故事里的主人翁，就记成了丈人。

18.7　子路从而后，遇丈人，以杖荷蓧。子路问曰：“子见夫子乎？”丈人曰：“四体不勤，五谷不分，孰为夫子？”植其杖而芸。子路拱而立。

止子路宿，杀鸡为黍而食之，见其二子焉。明日，子路行以告。子曰：“隐者也。”使子路反见之，至，则行矣。子路曰：“不仕无义。长幼之节不可废也，君臣之义如之何其废之？欲洁其身而乱大伦。君子之仕也，行其义也，道之不行，已知之矣。”（《论语·微子》）

我翻译一下。

子路跟随孔子周游列国，有一次掉队了。他就遇上了一位老人家，这个老人在田野里面用木杖挑着除草的工具，正在行走。

子路急急忙忙地拦住他，问：“你看见我老师了吗？”

老人家一看这个人冒冒失失地问“你看见我老师了吗”，就很生气，就说：“四体不勤，五谷不分，谁是老师？”就把木杖插在地上，开始除草。

子路被吓住了，拱着手站在一旁。

老人看子路又老实又可怜，就留子路住宿，并且杀鸡、做黍米饭给子路吃，还让自己的两个孩子出来见了子路。

第二天，子路离开老人的家，赶上孔子，把这件事告诉了孔子。

孔子说："这是一个隐士啊。他一定很有见解。"让子路赶紧回去见见他，和他好好地谈一谈。子路听孔子的话，赶回来，但是老人看到子路赶回来，有意回避了，不再和子路见面。

失望的子路，一边往回走，一边自言自语："不出来做官是不义的。您让孩子出来见我，可见您家里还是很讲究待客之道的，还是很有长幼之间的规矩的。但是您家里有长幼之礼，那国家就应该有君臣之道啊。您想洁身自好，却乱了君臣间的伦理关系，这是因小失大。君子之所以要从政，要做官，是为了推行道义，而不是为了个人富贵。至于我们的道能不能够行得通，这是我们早就知道的了。"

我们前面接连讲了三章，在这三章里我们看到了四个心肠已经冷掉的人。一个是楚狂接舆，另外两个人也是楚国人，一个叫长沮，一个叫桀溺，最后一位，就是刚刚讲到的这位老人家。

《论语》中用这四个人的冷漠来反衬对比孔子的温暖，集中地体现了孔子伟大的救世精神。正是这种精神，使孔子不仅仅是一般的思想家、哲学家，而且是一位伟大的先知，是基督、佛陀一类的伟大人物。

◎ 绝不避世

孔子所处的时代是混乱的、野蛮的、堕落的，在这样的时代，一般人早已绝望，心已冰冷，甚至同流合污。但是孔子坚持着，绝不放弃。他兴办私学，召集天下英才，凭借个人的巨大的德行魅力，聚集着这些社会精英，并且带领着他们一起改造社会。孔子以他自己的温暖，给这个冰冷的世界带来了温度。

在这个过程中，他不仅受到了小政客的排挤，昏君们的冷遇，他还受到了“隐士们”的嘲讽。接舆、长沮、桀溺、荷蓧丈人，那都是隐士，他们对这个社会冷了心，自称是“避世之士”，把孔子看成是“避人之士”，他们高傲地认为自己要比孔子看得明白，比孔子高明。但是，他们看到的，孔子也看到了，但是孔子不会弃天下人不顾！他感慨万分：“人总不能与鸟兽生活在一起！总不能生活在山林之中，我不和苦难大众生活在一起，与他们共享欢乐、同担不幸，我和谁在一起?”这种伟大的救世精神，自知必败而绝不回头的伟大人格，使他成为人类的先知。

孔子曾经讲过这么一段话，在 14. 37 里：

子曰：“贤者辟世，其次辟地，其次辟色，其次辟言。”（《论语·宪问》）

意思是：“贤达的人避开社会而隐居；次一等的人，是避到别的地方去；再次一等的人，是避开别人难看的脸色；再次一等的人，是避开恶言。”

这个地方讲到了“贤者辟世”，孔子怎么做的呢?

孔子离开齐国，是避开齐景公；离开鲁国，是避开季桓子和鲁定公；离开卫国，是避开卫灵公、卫出公。孔子辟言、辟色、辟地，但是他绝不避世！所以，孔子不是贤者，而是圣者！圣贤、圣贤，圣在贤之上。

在中国古代，道家避世，而儒家，则是“纠缠”于世道之中，介入当时的纷争，为正义而战。道家给了我们清凉，而儒家，给了我们温暖，给了这个世界温度。

第二十七讲 孔子很浪漫

大家好，我是鲍鹏山，我们接着来讲《论语》。

在第二十五讲，我们讲到那个荷蒉者，我说到孔子对他的评价是“果哉”。

在第二十六讲也就是上一讲，我讲到了更多的“果者”——果断的人。我还专门说到了“果断”这个词在古代的意义。这个词，我们现在把它看成褒义词，其实，在古代汉语里，这个词最多是个中性词，假如我们在古书上看到讲什么人“果断”，大家要小心了，这种人，固然有决断力，但是，这种人也往往心肠硬、心肠冷。冷静当然是优点，但冷静到冷酷呢？有决断力固然好，说不定，哪一天我们也被这样“果断”的人果断地“决断”了呢？

◎ 堕甑不顾

说到这里，我突然想起另外一个“果断”的人：这个人是东汉人，叫孟敏。有一天，他用一根棍子挑着一个罐子走路，突然罐子在身后滑落，坠地摔破了。一般人碰到这个情况，总要回头看一看，惋惜一番，“哎哟，怎么不小心把这么一个好罐子给摔破了”。但是这个孟敏，感觉到罐子滑下去了，听到罐子在地上摔碎的声音，他竟然头也不回，继续走了。

这个情景被当时一个叫郭太的大学者看到了，郭太觉得这个人个性奇崛，就拦住他，问他：“您怎么头也不回呢?”他回答：“听声音就知道罐子已经破了，既然破了再看它一眼又有什么意义呢?”

> （孟敏）客居太原，荷甑堕地，不顾而去。林宗见而问其意，对曰：“甑已破矣，视之何益?”（《后汉书·郭泰传》）

这个孟敏，是不是那种特别“果”的人?

其实我们想一想，一般人总要回头看一看这个破碎的罐子，我们在回头看这个破碎的罐子的时候，不是觉得还可以补救，而是觉得惋惜。而惋惜之情，并没有什么功利，它只是我们对一切被毁灭的东西的感情啊！这种感情，就是这个世界的温度啊！朋友远离了，我们挽留远送，依依不舍；亲人去世了，我们哭泣伤心，唱着挽歌，挽歌就是挽留之歌啊。这当然不能够留住他们，但是，这是我们的感情啊，这是世界的温度啊！

见落花而坠泪，听秋风而伤情。“无边落木萧萧下，不尽长江滚滚来”，钟嵘的《诗品·序》中开篇就说了这么一段话：“气之动物，物之感人，故摇荡性情，形诸舞咏。”这是艺术！这是人类的情怀！

◎诗人孔子

孔子也是这样一位不舍的人。我们来看一看《论语》的 9.17：

子在川上曰：“逝者如斯夫！不舍昼夜。”（《论语·子罕》）

孔子在一条小河边上说：“这消逝的一切就像这河水一样啊！日夜不停地流去。”对于那些逝去的，我们当然无法挽留，但是难道我们对这些无动于衷吗？对逝去的一切无动于衷，难道真的是我们要的理智和冷静客观吗？它是不是也是我们冷酷无情，没有心肝的另一种表现呢？

我们回头来看看孔子的这句话。孔子感叹：“逝者如斯夫！”逝者，孔子指的是什么呢？有人说这只是一句平常的、普通的感慨，感叹时光流逝。即便是这样，随着时光一起流逝的不是有很多美好的东西吗？我们曾经的雄心、壮志、青春，我们曾经的朋友和亲人，我们曾经的友情、亲情，甚至恋情……难道这些不值得我们惋惜和留恋吗？而且对时光流逝的敏感，会让人认识到生命的短暂，这会唤起另外一种意识：奋发努力，早建功业。“少壮不努力，老大徒伤悲”，这种感知、感觉、感叹，不正是我们生命的觉醒吗？

当孔子在小河边上感叹“逝者如斯夫”的时候，他大约已经到了暮年。他一生虽然经过不懈努力，使自己成为人伦的典范和学界的泰

斗，但是他梦想建立的政治功业，却远远没有实现，并且希望越来越渺茫。

我们有过理想并为之一直奋斗，哪怕没有实现，这难道不值得我们回顾吗？

我们知道孔子是教育家、思想家，读《论语》，我们还会发现，孔子也是一个诗人。“子在川上曰：‘逝者如斯夫！不舍昼夜。’”这是一首诗啊，是一首传唱了两千多年的诗啊。

再看 9.28：

子曰：“岁寒，然后知松柏之后凋也。”（《论语·子罕》）

这显然是对现实人生中某种珍贵品性的感叹和赞美。但是，问题是：这是一种什么样的表达呢？他没有说人，没有说道德，也没有说社会，他说岁寒之时——说的是季节，他说青青松柏——说的是一种植物。这是一种疏离化的表达——通过拉开与具体所指事物的距离，这样不仅实现了对现实的超越，还达到了对无限内容的最大的包含，更重要的是，还升华为一种人生的诗意：用如此感性的句子，表述对人生如此理性的领悟。“岁寒，然后知松柏之后凋也。”这是多么美的句子啊！

我们再来看看他讲政治：

2.1　子曰：“为政以德，譬如北辰，居其所而众星共之。”（《论语·为政》）

看看孔子的描写。大地上的政治，竟然如同我们头顶的星空，群星璀璨，而北极星明丽耀眼。他把政治说得这么美。在他的眼里，秩序就是美，美就是秩序。但是这仍然是用一种很疏离的、诗歌的方式，来表达最切近的意义。

不能忘记《论语·子罕》篇中的最后一章：

9.31 “唐棣之华，偏其反而。岂不尔思？室是远而。”子曰：“未之思也，夫何远之有？”（《论语·子罕》）

我们来看看这一段话的前面四句。“唐棣之华，偏其反而。岂不尔思？室是远而。”这四句是古代流传下来的诗，很美。如果我用现代汉语来翻译一下，可以是这样的：“唐棣树的花呀，翩翩地摇呀。难道我不想你？你住的远呀。”

你看，古人很浪漫，多情而且深情。孔子眼睛盯着这几句诗，心中默念着这几句诗，他是多么喜欢这样天真活泼的爱情啊！“于是，他就说，你真想他（她），你就千万里地去追求他（她）呀！你嫌远，我看，还不是真想念。”

这是幽默，但是，如果孔子不懂诗，不懂诗人的情怀，不能进入诗歌的意境，不被诗歌中的情怀和意境感动及触动，又怎么能有这种幽默！

钱穆在《论语新解》里，说到这一章的时候说：“此章言好学，言求道，言思贤，言爱人，无指不可。中国诗妙在比兴，空灵活泼，义譬无方，读者可以随所求而各自得。而孔子之说此诗，可谓深而切，远而近矣。”

钱穆先生说的都对。不过，我只是想说：孔夫子如此感性，孔子他自己就是一个诗人！

我们知道，老子是理性的，理性到波澜不起，哀乐不生，心如古井，冷静到冷酷，客观到旁观，抽象到无象。

孟子激情四溢，豪情万丈，浩然之气，充塞天地，果然是一时丈夫万世豪杰。但是孟子锋芒毕露，咄咄逼人，不屈不挠，跟孔子相比，蓊蔼的气象稍逊一筹，温敦的气质也少了三分。

孔子和老子一样，幕天席地，和孟子一样，气质至大至刚。但是，比起老子，比起孟子，孔子多了一点东西，这就是诗意。因为孔子比他们多了一点诗意，所以孔子的思维，就多了一个维度；他的世界，就多了一些温度；他本人，也就多了一种胸襟。他在面对世界、面对他人的时候，就多了一种委婉，一种回旋。于是，孔子的人生就有了山重水复时的柳暗花明，无路可走时的周行而不殆！

所以，我们读《论语》会发现，孔子不仅是个温暖的人，他也是一个感性的诗人。

下一讲，我要继续解读孔子的“温良恭俭让”里的这个“温”字的含义，它可不只是温暖这一层含义，我们下一节课再说。

第二十八讲 气质温

大家好，我是鲍鹏山，我们接着来读《论语》。

在上一讲里，我讲到了孔子这个人，总是有一点缠绵，总是有一点不舍，他真不是特别“果断”的人。中国古代，有不少“果断”的人，道家的老子、庄子都果断，果断到忘情；法家的商鞅、韩非很“果断”，果断到无情；甚至，孟子这样的儒家也“果断”，他果断到痴情。

对世界，决然放手是老庄的果断，断然下手是商鞅的果断，至死不放手是孟子的果断。但是，孔子不“果断”。他面对混浊的世道，果断不起来；面对苦难的世界，他果断不下去。

所以，“果断”这个词，今天我们一般都认为完全是一个褒义词。但是，在古代，它最多只是一个中性词，甚至更多的是倾向于贬义的词，因为它和一种冷酷的不管不顾、一刀两断的个性有关。很多时候，我们确实需要果断，但是也有很多时候，我们舍不得，我们放不下，不是我们优柔寡断，分不清方向，而是我们在乎啊！

孔子为什么不那么果断呢？就是因为孔子对这个世界在乎啊！曾经有一个朋友和我说，看一个人好不好，有一个很好的角度，就是看他对这个世界，对这个世界上的人和事，有没有热情。

我觉得他这话讲得太对了。在先秦，老子的特征就是冷（冷酷），读《道德经》，感受到的就是冰冷的逻辑和理性。但孔子给人的感受就是暖（温暖），读《论语》，感受到的就是温煦的关爱和感性。如果说老子是冬天，那么，孔子就是春天！春天给这个世界什么了？除了温度，什么都没给。但是，有温度就够了！草长莺飞了，杂花生树了！所以，态度就是温度，温度，不是一切，但是没有温度，就没了一切！孔子，最可贵的人格特征，就是温暖吧。

◎不做极端的人

但是，在这一讲，我要告诉大家，这个“温、良、恭、俭、让”里的“温”，还不仅指温暖，不仅指我们对待社会，对待他人的温度，它其实还包含着一种分寸感。

正如我在前面讲到的：它既不冷冰冰的，也不热辣辣的。冷冰冰的是老子，热辣辣的是孟子。孔子不是这样的两个极端。

讲到两个极端，我们讲一下《论语》的 13. 21：

子曰："不得中行而与之，必也狂狷乎！狂者进取，狷者有所不为也。"（《论语·子路》）

孔子说："找不到言行合乎中庸之道的人交往，就只好去同狂者和狷者交往。狂者和狷者都有优点，狂者有进取心，狷者不肯做坏事。"

在这里孔子讲到了三种人：中行之人、狂者和狷者。中行，就是中庸的言行。中行之人，就是中庸之人。狂者，指志意高远，敢作敢为，有进取精神的人。孟子就接近于狂者。那狷者呢，是指为人耿直，洁身自好，能把握住自己，绝不肯同流合污的人。老子、庄子也就接近于狷者。狂者的优点是有救世的热情，但是他也有弱点。弱点是什么呢？假如这个热情没有节制，就会变得不择手段。狷者的优点是道德纯洁，但是他也有弱点。这个弱点是什么呢？如果这个狷者受不到激励，就容易流于消极避世。狂者就是热辣辣的人，热烈以至于激烈的人；狷者就是冷冰冰的人，冷静以至于冷漠的人。狂者就是太热烈了，太迫切了，迫切得让我们感觉到压迫，甚至扭曲我们的意志，还记得我在第二十五讲里讲到的 4.26 和 12.23 这两章吗？

4.26　子游曰："事君数，斯辱矣；朋友数，斯疏矣。"（《论语·里仁》）

12.23　子贡问友。子曰："忠告而善道之，不可则止，毋自辱焉。"（《论语·颜渊》）

对国君，对朋友，不要太迫切了，太迫切就形成对他人的压迫了，这样不好。这就是狂者所为。所以，人当然要有热情，要有温度，但是，又不能够太热切。孔子个性中的“温、良、恭、俭、让”的第一个字“温”，不光指温暖，还指一种恰到好处、恰如其分的温度。正如我们喝水，太冰的水伤身体，但是太烫的水会烫嘴，甚至还会烫伤口腔食道，最好的水，是温度适中的水。

◎孔子的气质

我们来看看孔子的气质：

7.4　子之燕居，申申如也，夭夭如也。（《论语·述而》）

孔子在家里面闲居，齐整而安详，和悦而愉快。

再看7.38：

子温而厉，威而不猛，恭而安。（《论语·述而》）

孔子温和而又严肃，威严而又不凶，恭谨而又安详。《论语》中不少章节都谈到了孔子的气质，那是春天般的气质。比如整个《论语》中的第10篇，我们来节选一些看一看：

10.1—10.5　孔子于乡党，恂恂如也，似不能言者；其在宗庙朝廷，便便言，唯谨尔。

朝，与下大夫言，侃侃如也；与上大夫言，訚訚如也。君在，踧踖如也，与与如也。

…………

享礼，有容色。私觌，愉愉如也。（《论语·乡党》）

这一大段话，文言文讲起来大家可能听不懂，没关系，我用白话讲一遍。孔子在本乡本里和乡里乡亲在一起的时候，恭顺、温和、谦逊，好像不会说话一样。但是他到了正式的场合，比如在宗庙里，在朝廷上，议论国家大事，他就说话清楚、明白，但同时又很严谨、不放肆。上朝的时候，同下大夫谈话的时候，他是温和快乐的样子；同上大夫谈话的时候，他是正直恭敬的样子。国君来了，他是恭敬而心里不安的样子，走路的时候，孔子走得非常安详。献礼的时候，孔子满脸和悦。以私人的身份会见外国使臣的时候，是又和悦又轻松。

这是一种圣人的气质，高贵而又平和，典雅而又朴实，威严而又亲切。这是充沛的内在修养的自然外露。

◎君子三变

孔子的一个学生子夏，曾经对君子的气质有过这样的表述：

19.9　子夏曰："君子有三变：望之俨然，即之也温，听其言也厉。"（《论语·子张》）

意思是君子的气质有三种变化：你远远地看他的外表，很严肃；可是你近距离地去接触他，你会发现他很温和；如果你要听他跟你说话，他又很严厉。

"望之俨然"，为什么呢？是因为这种人不可冒犯。"即之也温"，为什么呢？是因为这种人总是可亲、可爱。为什么听其言又觉得很严厉呢？因为这种人说话总是很严肃，很认真。

君子有大德，不苟且，所以他有俨然的外貌；君子是大度的人，能容物，所以他有温煦的气质；君子对别人有教益，能够给别人以教导，所以他的言语往往又很严厉。

君子为什么俨然呢？是因为他要礼貌恭敬。为什么他又气质温煦呢？是因为他仁德内充。为什么他的言语又很严厉呢？是因为他意气风发。所谓的君子三变，不过就是礼、仁、义三种内涵的依次流露而已！后来孟子说大丈夫“居天下之广居，立天下之正位，行天下之大道”（《孟子·滕文公下》），实际上说的也是仁、礼和义，说的也是君子的三变！但是子夏和孟子说的是谁？他们说的都是孔子。

我们最后来总结一下，子贡说他们老师孔子的气质是“温、良、恭、俭、让”。

这个“温”指的是什么呢？指的是一个人的温煦的气质和温和的态度。和别人交往的时候，孔子的气质是温和的；说话、做事的时候，态度是温和的，气质是温煦的。同时，这个“温”，还是一种有分寸的态度、有节制的行为、有边界的主张。所以，“温、良、恭、俭、让”的“温”，不仅是温度，而且是尺度。温度温度，“温”就是一种度！“温”的这种度，在哪里？就在中庸之中！中庸的中，就是温；温，也就是中。

大家知道了这些，就可以知道，在生活中，面对人或者事，不要太激烈，不要太极端，不要太尖刻。甚至说话的时候，也要有包容性，能够包容万物，不一定非要追求深刻，真僧只说家常话。深刻深刻，一深就刻，一刻，往往就刻薄了。

所以，不要把话说得太绝，道理也不要追求说得太透。为什么道理不要说得太透呢？因为你并不拥有满盘的道理。给别人留一点余地，你有你的道理，别人有别人的道理，你不要把你的道理说到极端，说到绝对，说到不留一点分寸，不留一点余地给别人。留三分道理给别人讲，留三分利给别人赚，留三分地给别人耕，这也就是“温”。

第二十九讲 大慈悲

大家好，我是鲍鹏山，咱们一起接着读《论语》。

上面几讲，我讲到子贡给老师孔子的五个字的评价：温良恭俭让。我特别讲了第一个字：温。

我说，孔子是温暖的，《论语》给我们的就是温度，就是态度，是一种有温度的态度。从这个意义上说，我们读《论语》，就是打开自己，把孔子的温暖传递给我们，从而提升我们自己的温度，让自己也成为一个有温度的人。

◎ 葬狗

那么，良呢？良，不仅仅是指善良，它还指对万事万物都有一种善意和敬意，对这个世界，你是善意的，你是温良的。放眼看世界，并非人人都是好人，人人都是善人，但人人都是悲伤之人，都需要被温柔以待。你心中对所有的人都有爱，你对一切都有爱护之心，对世界万物都有养育之意，都是善意，而绝无歹意。这就叫良。

一个人内心中有这样的良，气质上是会表现出来的。这个良，也就是“仁”，仁者爱人，仁者也爱万物。我们爱人，我们也爱一朵花、一棵树，也爱各种动物。

说到爱动物，我来说一个孔子的故事。孔子自己养的看门狗死了，孔子很难过，那时候孔子已经很老了，伤心得很。他不忍心自己去处理，就让学生子贡去帮着埋了。子贡出门，孔子不放心，交待子贡说：“知道吗？按照规矩，一匹马死了，要用帷幔裹好了再埋；狗死了，要用车篷布裹好了再埋。你去把我的狗埋了吧。”

说到这里，孔子的眼泪流出来了，他说：“一般人家，换下来的帷幔不丢弃，留着，将来埋马；破旧的车篷布也不丢弃，留着，将来埋狗。现在，我很贫穷啊，没有车篷布。怎么办呢？你埋狗的时候，给它弄张席子包起来吧。不要把它的头直接埋在土里啊。”

> 孔子之守狗死，谓子贡曰：“路马死则藏之以帷，狗则藏之以盖，汝往埋之。吾闻弊帷不弃，为埋马也；弊盖不弃，为埋狗也。今吾贫无盖，于其封也，与之席，无使其首陷于土焉。”（《孔子家语·曲礼·子夏问》）

按说，子贡是一个办事能力极强的人，此时的子贡，已经四十多岁，是个大外交家和大商人，埋一条狗，还要孔子这样反复吩咐操心吗？孔子当然不是对子贡不放心，他是不忍心。他不忍心什么呢？他一想到狗的头直接埋在土里，他就受不了。所以，他一定要这样啰里啰唆、反反复复叮嘱子贡，跟他讲道理，讲风俗，就是担心子贡敷衍了事，随随便便地就把狗直接埋到了土里。

我们说，为什么有些人心地纯善？就因为他常常受不了。为什么有些人心地残忍？就因为他常常受得了。什么叫文明？文明就是对很多东西受不了。什么叫野蛮？野蛮就是对很多东西都受得了。我们常常说文化，什么叫文化？文化在某种意义上讲就是软化，就是把我们的心灵柔软化。注意，柔软不是软弱。柔软是一种更加持久的、有韧性的力量。

◎不掏鸟窝

我们来看《论语》的这一章：

7.27　子钓而不纲，弋不射宿。（《论语·述而》）

这段话的意思是，孔子只用竹竿钓鱼，而不用网来捕鱼；他只射飞着的鸟，不射夜宿的鸟。为什么这样呢？因为钓鱼，是给鱼选择的机会，是鱼儿主动上钩，并且所钓之鱼，总是数量有限的。而用网去捕鱼呢，是鱼别无选择而你把它置之死地。并且，往往是一网打尽，赶尽杀绝。射在天上飞着的鸟，是给鸟以逃生的机会，而射在鸟巢里夜宿的鸟，则是出其不意。于鸟而言，没有逃生的机会，于人而言，机心尤其歹毒。

我们说，人类为了自己的生存，不可能不杀生。但是人类有灵魂，有爱心，杀生要有其道，要有节制，要有游戏规则。尤其不能在滥杀、虐杀中“培育”人心中那个恶的种子。

实际上，人类性情中的残忍，往往体现在，在被虐杀的动物的鲜血中“吸取营养”。因此，反对虐杀动物，既是保护于人而言显得弱小无助的动物，更是保护人类灵魂中的善。

传说，中国古代的圣王商汤网开三面（亦作网开一面），我们现在又看到了孔子“钓而不纲，弋不射宿”，这正是我们祖先中体现人类博爱精神的典范。

在物种不断地因人类的活动而灭绝的今天，这种博爱精神，尤其值得我们推崇。可是，我们今天，很多人捕鱼，已经不用网了，用什么？用雷管，用炸药，用电网！比如说用雷管，往水里一丢，一声闷响，一应水族，全部漂在水面上！然后，人们把大的捡起来，往塑料袋中一扔，转身再去别的水域。这样捕鱼，那是何等有效率！但是，什么是最可怕的人？最可怕的人就是这种只讲效率不计其他后果的人。什么是最可怕的文化？就是这种只讲功利不计其他的文化。什么是没有未来的民族？也就是只讲效率，只讲利害，只讲功利，以成败论英雄的民族！为什么？因为，没有了善良，人还是人吗？没有了善良，人就没有了人性，没有了心灵。当然，仁者爱人，孔子最爱的，还是人，还是同胞。

《论语·子罕》有这样的一章记载：

9.10　子见齐衰者，冕衣裳者与瞽者，见之，虽少，必作；过之，必趋。

这段话的意思是，孔子遇见穿丧服的人，戴着礼帽、穿着礼服的人和盲人，只要见到他们，即使对方只是一个少年，孔子也一定站起身来，恭恭敬敬地等着他们经过。如果他们站在那里，孔子经过他们的面前，一定是“趋”。什么是“趋”呢？就是小碎步地快走，这是年轻人在长辈或是上级面前走路的时候一种独特的走路方式。孔子在面对着这些人的时候，他就用这样的恭敬的小碎步，快步地从他们身边经过。

对待不幸的人或弱势的群体，孔子的内心一片仁慈，行为一派恭敬。有一次，孔子到卫国去，在途中遇见以前住过的人家主人死了。孔子走进去，哭得很悲伤。出来的时候，就叫子贡解下驾车的马送给这户人家。子贡说：“老师，仅仅相互认识，人家的丧事，按照礼的规定，不能够赠送礼物的。您现在要解下驾车的马送给这户人家，礼是不是太重了？”孔子说：“我刚才进去吊丧，悲伤得流下了眼泪。我怎么能光哭而无所表示呢？你去做吧！”

一个如此普通的人，也是一个与孔子没有什么交往的人，他的死亡也能让孔子如此悲伤，以至于不解驾相送就不足以平复心中的伤痛。

◎ 大慈悲

我们再看看下面的两章：

7.9　子食于有丧者之侧，未尝饱也。（《论语·述而》）

7.10　子于是日哭，则不歌。（《论语·述而》）

孔子在有丧事的人旁边吃饭，未曾吃饱过。孔子在哪一天吊丧哭泣过，就不会再唱歌了。可见，孔子本来每天都要唱歌，但是，如果他今日参加过葬礼，那么他今天就不会再唱歌了。无论是亲戚、朋友、师友过世了，他刚刚临丧而哭，又有什么心情再唱歌！人生总有种种不幸，人群中总有不幸之人，仁厚的人，对不幸之人、不幸的事，总是恻隐悲伤之情难以平复，更何况孔子这样的圣人、仁人！对别人的悲伤感同身受，是一个人崇高人格的组成元素之一啊。

再看《论语·乡党》篇里面的这一章：

10.22 朋友死，无所归，曰："于我殡。"（《论语·乡党》）

朋友死了，若是没有人收殓，孔子就会说："丧事我来料理吧。"人死了，没有人收殓，这是何等的悲哀！孔子的一声"于我殡"，是无限悲凉，却又无限温暖！

这个记载，在《孔子家语·曲礼·子夏问》里有这样的版本：

> 子夏问于孔子曰："客至，无所舍，而夫子曰：'生于我乎馆。'客死，无所殡矣，夫子曰：'于我乎殡。'敢问礼与？仁者之心与？"

子夏问孔子："老师啊，有人来到我们这里，没有住宿的地方，您就说：'住到我家里吧。'有人客死异乡，没有人安葬，您就说：'我来安葬吧。'老师啊，您这样做，是因为礼制有这样的规定，您只是依礼而行，还是您仁爱之心使然呢？"

孔子是怎么回答的？孔子说："礼，不就是仁爱之心的体现吗？

礼，不就是具有仁爱之心的人制定的吗?”孔子，那是一个满怀慈悲的人啊。

什么叫慈悲？因为慈，所以悲。因为悲，所以慈。因为仁慈，所以为世上的一切不幸而悲伤。因为知道世道的悲凉，所以内心对世界万物充满仁慈。悲，是世间万物的命。慈，是世间仁人的心。

第三十讲　仁者爱人

大家好，我是鲍鹏山，咱们一起接着读《论语》。

在上一讲我们讲到“温、良、恭、俭、让”的“良”，我说良，就是对世界的善意，对他人的关心，对世道的热心。我还说，《论语》是温暖的书，体现的就是孔子对这个世界的有温度的态度。《论语》里满含着孔子对世间的温情。人生艰难，世道坎坷，世态炎凉，所以，需要有热心肠，需要有大慈悲！

◎ 赠美人以礼

有一次，孔子去郯国，路上碰到了一个姓程的先生。孔子在自己的车上，程先生在程先生的车上，他们就这样停在路上说话，两人越谈越投机，越谈越亲热。车子都倾向对方，车盖都倾靠在一起了，后来有一个成语叫“倾盖相交”，就是从这里来的。两个人谈得高兴了，孔子回过头来就对子路说：“仲由啊，拿一束帛赠给先生。”子路就不愿意，子路说：“我听说，按照礼的规定，两个士，如果没有中间人的介绍，如此正式地相见，就与女子出嫁而没有媒人一样，都是不对的。”

可以看出来，子路对老师和程先生这样长时间的交谈已经有一点不耐烦了，所以，现在孔子又让他拿一束帛来赠送给程先生，他就不愿意，于是就搬出古代礼的规定来拒绝。

过一会儿，孔子又一次敦促子路拿一束帛赠送给程先生，子路又拒绝了，并且还是那样回答：“我听说，按照礼的规定，士没有介绍人而互相见面，与女子出嫁而没有媒人一样，都是不对的。”孔子生气了，孔子说：“仲由啊，你不记得《诗经》中的句子了吗？‘有美一人，清扬宛兮。邂逅相遇，适我愿兮。’现在这位程子，是天下的贤士。此时不赠，说不定会终生遗憾，小子，快点吧。”

孔子之郯，遭程子于途，倾盖而语终日，有间，顾子路曰：“取束帛一以赠先生。”子路不对。有间，又顾曰：“取束帛一以赠先生。”子路屑然对曰：“由闻之也，士不中而见，女无媒而嫁，君子不行也。”孔子曰：“由，《诗》不云乎？”野有蔓草，零露溥兮。有美一人，清扬婉兮。邂逅相遇，适我愿兮。“今程子天下之贤士也，于是不赠，终身不见。大德毋逾闲，小德出入可也。”（《孔子家语·致思》）

读这个故事，我总感觉到恻然。人生倏忽，红尘滚滚，而人海茫茫，很多人，一旦错过，可能就终身不再相见了。孔子的内心，有多少苍凉，又有多少慈悲？

◎ 做盲人的眼睛

我们再看下一章：

15.42　师冕见。及阶，子曰："阶也。"及席，子曰："席也。"皆坐，子告之曰："某在斯，某在斯。"师冕出，子张问曰："与师言之道与？"子曰："然，固相师之道也。"（《论语·卫灵公》）

这段话记载了这么一个故事，一个盲人乐师，叫冕，来见孔子，当他走到台阶边的时候，孔子就告诉他："台阶到了。"走到坐席边，孔子又告诉他："坐席到了。"大家都坐下来以后，孔子告诉这个冕说："某人坐在哪里，某人坐在哪里。"

按说，古代的盲人乐师都有"相"，也就是都有扶持他走路的人，不必孔子如此费心指点，何况此时孔子身边还有很多学生，也可以照顾这个很特殊的来访者。但是，孔子看见这个盲人进来，就看着他的一举一动，并且随时地予以提醒。这些提醒，也许对师冕不必要，因为他有人指引照顾。但是，于孔子自己，却是一种自然的关心与牵挂。这不是思考了自己是否应该这样做之后，理性指导下的道德行为，而是出于仁慈内心的第一反应，也就是后来明朝的大思想家李贽所说的"绝假纯真，最初一念之本心也"的赤子之心。而且这也不是理性思考了这种关注对于对方是否必要，而是感性地感受到了自己必须这样做的问题。我如果说得简单一点，那就是，这种关心，不是对方需要，而是我们自己需要。假如我们心灵中有自发的善良和仁慈，这种关心几乎是本能的，不加以关心倒是令我们难受的。所以这种难受迫使我们对对方施加关心，甚至这种关心是多余而不必要的关心。

在生活中，我们是不是也会发现：父母对子女，似乎总是啰嗦的，而子女总是厌烦啰嗦的——因为子女总是觉得父母的那些关心不必要。可是子女自己一旦成了父母，马上又开始对自己的子女啰嗦了。这种啰嗦，乃是出于一种极为殷切的关心，而不是出于理性分析——事实上，经过理性分析之后，我们会发现，这个世界上的很多的关心都是“不必要”的或是无用的。但是，这些从实用角度看起来“不必要”的爱与关心，于人生，于世界，于你我，真的是不必要的吗？

这世界，太多的关心，于事确实不必要，但是对于我们的人心来说，却是不可缺的。因为，“关心”一词，它本来就不关乎对方，也不关乎事体，而只是关乎我们自己的心。

这个盲人乐师，虽然看不见孔子的面容，但是听着孔子温和关切的提醒，他的内心，岂不感到一种温暖！孔子这么多“不必要”的提醒，是不是也给这位盲人传递出一种温暖呢？是不是也包含着人生的不可或缺的这样一种温度呢？

两千多年以后，我们读到这一段，孔子对盲人无微不至的关照与爱护，这种场景，也还是如在眼前，那种圣人的慈祥，也还是令我们感动不已！在这种感动中，我们不仅感知到了世界上的温暖，还在不知不觉中改变了自己。其实，当场就有一个学生被感动了，那就是子张。师冕走了以后，子张就问孔子：“老师，您刚才就是与乐师以这种方式讲话的吗？”孔子说：“是的，这本来就是帮助盲人的方式。”孔子刚才对盲人的关心，子张是看在眼里的。子张本来是一个大大咧咧的、不大在意细节的人，但是，这一次，他注意到了，并且体会到了，感受到了，不，他简直就是被感动了。

而孔子的回答，则是告诉子张：盲人也许不缺一个指引他走路的人，但他对别人的脸色、眼神看不到，如果你不出声，他不知道你的态度，不知道他是否受欢迎，甚至不知道你的眼神是关心他还是厌烦他。所以，此刻，不是他走路需要指引，而是他的心里需要安慰。对盲人说的那些话，是要告诉他，他是被关心的，他是受欢迎的，是被尊重、被爱戴的！

所以，什么叫“良”？这就叫“良”。什么叫“仁”？这也就叫“仁”！这就是“仁”在日常生活中的体现！实际上，“仁”也就该体现在待人接物的日常举止之中！我们在上一讲里讲到了一个成语叫仁者爱人。这个成语是孔子对樊迟的回答。

12.22　樊迟问仁，子曰：“爱人。”（《论语·颜渊》）

这个回答实际上可以从两个层面来理解。第一个层面：仁，就是爱，就是对他人的爱。第二个层面：仁德的人，心中也满含着对他人的爱。没有爱，不叫仁；心中没有爱的人，也不能够叫仁者。《论语》中，有很多地方都直接提到了爱，比如我们前面讲过的：

1.5　子曰：“道千乘之国，敬事而信，节用而爱人，使民以时。”（《论语·学而》）

1.6　子曰：“弟子入则孝，出则弟，谨而信，泛爱众，而亲仁。行有余力，则以学文。”（《论语·学而》）

◎ 武城礼乐

我们现在再来看看下面这一章：

17.4　子之武城，闻弦歌之声。夫子莞尔而笑，曰：“割鸡焉用牛刀？”子游对曰：“昔者偃也闻诸夫子曰：‘君子学道则爱人，小人学道则易使也。’”子曰：“二三子，偃之言是也。前言戏之耳。”（《论语·阳货》）

这一段是这么一个故事，孔子的学生言偃，字子游，在鲁国的一个叫武城（在今山东德州市）的地方做地方官。孔子到了武城，听见弹琴唱歌的声音，就知道他的弟子子游谨遵他的教导，在武城进行礼乐教化，实践着老师的以礼治国的理论呢。于是，孔子一下子心情特别好。听着满城飘来的弦歌之声，好像他所向往的古朴的民风又回来了，他能不高兴吗？于是，孔子莞尔一笑，对赶过来迎接他的子游说：“你在这样的小城搞礼乐教化，有必要吗？杀鸡哪里用得着宰牛的刀呢？”子游一听，一下子就糊涂了，马上回答说：“老师啊，我过去听你说：‘君子学了道，就能惠爱百姓；老百姓学了道，也容易听从君子的指引。’所以，我在武城践行老师的教导呢，我错了吗？”孔子听了，哈哈一笑，对跟随他来的同学们说：“各位，言偃的话说得好啊。我刚才啊，是和他开个玩笑呢。”你看，在这个故事里，子游同学转述的孔子曾经对他说的话是：“君子学道则爱人。”

什么意思？就是，我们读书，就是要学会爱人！常言道：读书明理，明的什么理？明的就是爱人的理！世界上最大的学问，就是学着做一个仁者。世界上最大的道理，就是爱人！仁者爱人！

第三十一讲 谁来当领导

大家好，我是鲍鹏山，咱们一起接着读《论语》。

◎ 谁来当领导

上一讲，我讲了一个成语，也是《论语》的关键词：仁者爱人。实际上，一部《论语》，都可以用这四个字来概括，一部《论语》，就是记录孔子这样的仁者对人间的爱。我上一讲还讲到，仁者爱人这个成语来自孔子和他的学生樊迟之间的一次对话。这次对话本身，就可以看出孔子以及他的弟子们之间的互相关爱。我们来看看这段对话的完整的章节：

12.22　樊迟问仁，子曰："爱人。"问知，子曰："知人。"樊迟未达。子曰："举直错诸枉，能使枉者直。"樊迟退，见子夏，曰："乡也，吾见于夫子而问知，子曰：'举直错诸枉，能使枉者直。'何

谓也?”子夏曰:“富哉言乎!舜有天下,选于众,举皋陶,不仁者远矣。汤有天下,选于众,举伊尹,不仁者远矣。”(《论语·颜渊》)

这一段话,我们来简单地翻译一下。樊迟向孔子问什么是仁,孔子告诉他说:“仁,就是爱人。”樊迟又问什么是智,孔子说:“知,就是知人。”樊迟有点糊涂了。

为什么樊迟糊涂呢?其实,这倒不是因为樊迟笨,恰恰是樊迟聪明:他想到了别人可能没想到的一层。单独看这两个问题,仁是爱人,知是知人,确实看不出问题。但樊迟把这两者联系起来想,就发现问题了:知人即是对人有所鉴别,知道一个人的善恶好坏,但是,既然对人有了鉴别,分辨出了好人、坏人,那就一定要有所爱憎,爱好人,恨不好的人。既然有了对人的爱憎,必不能仅仅“爱人”,一定也有一些时候会恨一些人。于是,这个“知人”和“爱人”就有了矛盾。

是不是这个问题?大家没想到这一层吧?所以樊迟一点都不笨。

我说一句玩笑话:这世界上,聪明人总是有很多问题想不通;而笨人却根本就不觉得这个世界有什么问题要想。所以,聪明人常常苦恼,而头脑简单的人有时候很幸福。

我们回到樊迟的苦恼上来。孔子看见他思想上阻塞不通,便把自己的话说得通俗一些:“举直错诸枉,能使枉者直。”——推举正直的人,把他们安置在不正直的人之上,引领这些不正直的人,就能够让这些不正直的人转化为正直的人。

孔子的这个解释,是什么意思呢?是解释“爱人”和“知人”

的关系，两者不但不矛盾，反而是相辅相成的。比如，举直首先是知人，因为推举正直的人之前，你得先知道谁是正直的人，这不就是知人吗？但同时这也就是仁，因为把正直的人推举出来，让他获得重用，这不就是爱好人吗？甚至，不仅仅是爱好人，也是爱不好的人，为什么呢？因为对不好的人的最大爱护，就是给他们推荐出一个好人来领路，来做榜样，然后在好人的引领下，让不好的人也变成好人嘛。把不正直的人改变为正直的人，把不好的人改变为一个好的人，这不是更深、更广博的爱吗？

所以，爱正直的人，是推举他；爱不正直的人，是改正他。孔子讲的“举直错诸枉，能使枉者直”这一句话中，包含着“仁”和“智”这两种内涵。

按说，话说到这个份上，已经很明白了，但是，樊迟同学人如其名，我刚才说他不笨，他确实不笨，但是，反应往往会慢一步，迟钝一点。他一头雾水地从孔子那里走出来，皱着眉头，百思不得其解，一抬头，碰见了师弟卜子夏，子夏比樊迟还小八岁呢，但是，悟性比樊迟高，平时的学习成绩也比樊迟好，所以樊迟看见子夏，马上就告诉子夏说：“师弟，我刚才见到老师，问他什么是仁，什么是智，老师告诉我说，‘选举正直的人，安排在不正直的人之上，这样就能使不正直的人转化为正直的人’。‘举直错诸枉，能使枉者直’这句话是什么意思呀？我怎么就听不懂呢？”

子夏一听，兴奋地说：“老师说得多么丰富而深刻啊！师兄您想想：舜有了天下，在众人中选拔人才，推举了皋陶，不仁的人就少了。汤有了天下，在众人中选拔人才，推举了伊尹，不仁的人就少了。”

我来先解释一下子夏同学提到的这几个人名。舜，古代的圣明天子。

皋陶虽然是舜时候的大臣，却与尧舜禹齐名，被称为“上古四圣”之一，本来，他已经被指定为大禹的继承人，是要和尧舜禹一样成为古代的圣王天子，可惜，大禹还没死，他先死了。据说也就死在我的老家安徽省六安市，就葬在六安，所以，现在六安又称皋城。

汤是谁呢？是商朝开国的君主，是古代圣明天子的代表之一。

伊尹是商朝开国的元勋，他曾经辅佐商汤打败过夏桀，为商朝的建立做出了不朽的功勋。他辅佐商朝成汤、外丙、仲壬、太甲、沃丁五代君主，辅政五十余年，他自己也活了一百岁。

知道了这些，我们再来看看子夏说的话。孔子对樊迟用“举直错诸枉，能使枉者直”来说明“知人”和“爱人”的统一，“仁”和“知”的统一，这本来应该很明白了，但是樊迟依然似通未通。便又请教子夏，子夏就告诉他：“你看，虞舜和商汤，他们知道皋陶和伊尹是好人，这就是智；让好人来领导人民、爱护人民，这就是仁。人民中那些本来不怎么好的人，因为有了皋陶和伊尹做榜样，也变好了，这就更是仁。”

虞舜和商汤，他们用皋陶和伊尹作为榜样，使不正直的人都变成了正直的人。他们没有用刑律，没有用杀戮的手段，只是选出好人让他们引领天下，给天下做榜样，最终天下大治，这是何等的仁德和智慧啊！

我上面说到，这次对话本身就是一次“仁者爱人”的范例，为什么我这么说呢？面对着樊迟的懵懂、糊涂不开窍，孔子不厌其烦，对他予以启发，子夏又给他以认真的辅导，一定要让樊迟明白，这样的诲人不倦，互帮互学，不是仁爱精神的体现吗？不让一个人掉队，努力提携后进，对后进的人不抛弃、不放弃、不嫌弃，这不就是爱吗？

◎劝学

还记得我们在第十八讲里讲到曾子在临终之前换席子的故事吗？记得曾子人生的最后一句话吗？“君子之爱人也以德，小人之爱人也以姑息。”君子爱人，就是使被爱者能有所成就啊。

12.16　子曰：“君子成人之美，不成人之恶。小人反是。”（《论语·颜渊》）

什么叫成人之美？主要指的还不是帮助别人成功，而是帮助别人成人，帮助一个人成就他自己的美满人格。所以，真正的爱，不是放纵，不是姑息，而是打磨他，让他成就晶莹剔透的人格和人生。

14.7　子曰：“爱之，能勿劳乎？忠焉，能勿诲乎？”（《论语·宪问》）

孔子说：“如果你爱他，怎么能不让他劳苦？如果你真的是非常忠诚于他，你怎么能不对他进行劝告教诲呢？会爱子女的父母，一定不会放纵子女，恰恰相反，一定是在各个方面锤炼子女。让子女刻苦学习，努力工作，绝不会让他懈怠。而真正地关心朋友的人，也不是事事都随他，而是当他有缺点与过失的时候，对他进行忠告。”

最后，我再讲一个墨子的故事。有一个人，身体很好，脑袋也很灵光，墨子怕他荒废了好天赋，就想引导他读书学习。于是墨子就对他说：“你试着到我这来跟我读书怎么样？你跟我读了书，我保证让你能做官。”哄着他来学习了。第二年，这个人就向墨子要官职，对墨子说：“你去年答应我，我来跟你读书，你就给我官做，到今天我已经跟你读了一年了，你现在推荐我做官吧。”墨子说：“其实我不能让你当官。”这人一下子就很生气：“那你怎么骗我？”墨子说：“我给你讲一个故事吧。鲁国有五个兄弟，他们的父亲死了，可是他们的大哥贪酒，不肯参与操办丧事。这四个弟弟就哄他说：‘大哥，你回来和我们一起安葬父亲，等到我们把父亲安葬完以后，我们就给你买酒喝。’用好话劝大哥与四位弟弟一起安葬父亲。安葬完了以后，这位大哥就向他的四个弟弟要酒喝，要他们兑现曾经对他许下的承诺。可是四个弟弟说：‘我们才不给你买酒喝呢。你安葬你的父亲，我们安葬我们的父亲，你安葬的又不仅仅是我们的父亲。而且，你不安葬父亲，人家会嘲笑你，我们劝你安葬，不过是让你做你自己该做的事，而且还帮助你避免成为别人的笑料。’”

说到这里，墨子对这个人说：“你也一样，你读书，只是做了一个人该干的事。你不学习，人家会嘲笑你，我劝你学习，是为了你好。你不感谢我，怎么还找我要回报?”

> 有游于子墨子之门者，身体强良，思虑徇通，欲使随而学。子墨子曰：“姑学乎，吾将仕子。”劝于善言而学。其年，而责仕于子墨子。子墨子曰：“不仕子。子亦闻夫鲁语乎？鲁有昆弟五人者，其父死，其长子嗜酒而不葬，其四弟曰：‘子与我葬，当为子沽酒。’劝于善言而葬。已葬，而责酒于其四弟。四弟曰：‘吾末予子酒矣，子葬子父，我葬吾父。岂独吾父哉？子不葬则人将笑子，故劝子葬也。’今子为义，我亦为义，岂独我义也哉？子不学，则人将笑子，故劝子于学。”（《墨子·公孟》）

我把这个故事讲完了，那么你们觉得墨子劝人学习，甚至拿推荐做官的话来哄骗别人学习，是不是一种爱呢?

这一讲，我们说到了什么是真正的爱，爱，是成人之美。不过，爱的最高境界还远不止这些，我们下一讲再说。

第三十二讲 孟子“摆架子”

大家好，我是鲍鹏山，咱们一起来接着读《论语》。

在上一讲，我们从“温、良、恭、俭、让”五个字中的“良”，讲到了仁者爱人，最后讲到君子爱人以德，爱人以德就是成人之美，帮助别人成就完美人格，帮助别人去做正当的事，比如，墨子哄劝人家跟他读书，就是让一个人做他该做的事。讲到这里，我要说一下，大学者钱穆先生，曾经写过《孔子传》，写过《论语新解》，他还说过一句非常有名的话，这句话的大意是什么呢？就是一个好的学者，一辈子最该干的两件事：第一，自己读《论语》；第二，劝人读《论语》。

为什么钱穆会这么说呢？我的理解是，读《论语》是每一个中国人都应该去做的正当的事。而通过劝人读《论语》，促进别人的学业进步和人格的养成，这就是成人之美，这就是对他人的爱。爱，不是帮着一个人做他想做的事，而是帮着他做他该做的事。成人之美，也不是成就别人想要的愿望，而是成就别人正当的愿望。

◎孟子“摆架子”

说到这里，我说一个孟子的故事。孟子是邹国人，今天山东有个邹城市，就是那里，离曲阜不远。后来齐国的齐宣王用很好的条件吸引各国的人才，孟子也去了。孟子和齐宣王就说好了：“我是来做你老师的，不是做你的臣子的，所以你不可以对我指手画脚，把我当下级。”于是，孟子在齐国，只做卿不做官，齐宣王要见孟子，只能主动来拜访，孟子要见齐宣王，则随时都可以大摇大摆地去。有一天，孟子想去见齐宣王，兴致勃勃地大清早就起来了，洗漱干净，正准备出发，齐宣王派了两个人来。那两个人来跟孟子说：“我们的国君好想见您，可惜我们的国君感冒了，受了风寒，所以今天他实在不能到您的府上来拜见，他派我们来问问您，今天愿不愿意上朝。如果您愿意上朝的话，我们的国君今天就很荣幸，他就能够见到您了。”

孟子本来就准备去见齐宣王，都穿戴好了，正常的情况下，孟子会说：“我今天本来就准备去，咱们走吧。”可是孟子这次是怎么说的呢？孟子说：“对不起，我也感冒了，不去。”孟子摆架子。

为什么呢？在孟子看来：我今天本来是准备自己去，但你派了人来了，我再去，给人的感觉就是你派人来召见我，我可是你齐宣王的老师，学生哪有资格召见老师？所以，不去。使者回去向齐宣王报告，齐宣王知道孟子又发脾气了，但齐宣王对孟子一点办法都没有。第二天，齐宣王还派了个使者带了一个医生到孟子家里，给孟子看病。

孟子不在家。哪儿去了？齐国有一个大夫家死人了，孟子跑去吊丧了，孟子在走之前，孟子的学生公孙丑就劝他："老师，今天最好别出门，因为昨天齐王派人来请您，您说您生病了，今天您到大夫家吊丧，齐王一定会知道的，他肯定会不高兴，因为他会知道您说了假话。实际上当然了，齐王也知道您说的是假话，但您也得装得像真的一样啊。因为这样彼此都有面子。您今天去吊丧，就等于明白地告诉齐王您昨天就是骗他的，您说您这样做让齐王多没面子。"

公孙丑讲得很有道理，这就叫人情世故。但孟子的伟大就在于只讲正义良心，绝不讲人情世故。孟子把脖子一梗："我昨天生病了，今天好了，难道不可以吗？"

当然可以。但是我们知道，孟子其实就是要让齐宣王明白："你知道我并未生病，而且你还知道我是故意说自己生病，我就是想告诉你，我生气了，后果很严重。"

然后，孟子就大摇大摆地走了，可是齐王的使者带着医生来了。孟子的堂弟孟仲子非常紧张，就赶紧撒谎："对不起，我大哥昨天生病了，可是今天病已经好得差不多了，他现在已经上朝去了，你们赶紧回去吧。"就把这两人打发走了。然后孟仲子赶紧派好几个人去各条路上追孟子，说："我们刚才帮您撒了谎，现在请您赶紧到齐王那里去，免得穿帮了。"

孟子就更生气了，不但不去上朝，而且还去齐国一个叫景丑的大夫家里去了。到了景丑家，还跟景丑大夫大发牢骚，说："你们的齐王太不像话了，昨天派人来让我去，我没去，今天又派一个医生来，他是什么意思啊？"

景丑太了解孟子，他对孟子说："孟先生，自从您到了我们齐国，我们谁都看得出来，我们的国君是多么尊重您，可是我们谁都没看出来您对我们的国君有一点点的尊重。"

这话说得很重，事实也确实是这样，可是孟子不承认，孟子怎么说的呢？

> 孟子说："恶！是何言也！齐人无以仁义与王言者，岂以仁义为不美也？其心曰，'是何足与言仁义也'云尔，则不敬莫大乎是。我非尧舜之道，不敢以陈于王前，故齐人莫如我敬王也。"

仁义道德好不好？好，可是为什么你们这些人跟齐王从来不谈仁义道德，就跟他说吃喝玩乐呢？你们这样做的时候，心里一定是这样想的，潜意识里面一定是这样的："我们的齐王水平不高，谈仁义、谈道德他不感兴趣，他就只喜欢吃喝玩乐，所以我们就只跟他谈吃喝玩乐！所以，你们这些表面上对齐王唯唯诺诺的大夫们，其实骨子里对你们的国君是何等地不尊敬！你们就没把他看成是一个好人！而我正相反。我见到你们的国君，非先王之道我从来不说，我跟他说的就是仁义道德，这说明什么？这说明我内心认为他是一个境界很高的人，是一个可以谈论一些高尚话题的人！而且，我鼓励他成为古代圣王一样的人。这说明什么？说明我真正地关心他！”

孟子将朝王，王使人来曰：“寡人如就见者也，有寒疾，不可以风。朝，将视朝，不识可使寡人得见乎？”

对曰：“不幸而有疾，不能造朝。”

明日，出吊于东郭氏。公孙丑曰：“昔者辞以病，今日吊，或者不可乎？”

曰：“昔者疾，今日愈，如之何不吊？”

王使人问疾，医来。

孟仲子对曰：“昔者有王命，有采薪之忧，不能造朝。今病小愈，趋造于朝，我不识能至否乎？”

使数人要于路，曰：“请必无归，而造于朝！”

不得已而之景丑氏宿焉。

景子曰：“内则父子，外则君臣，人之大伦也。父子主恩，君臣主敬。丑见王之敬子也，未见所以敬王也。”

曰：“恶！是何言也！齐人无以仁义与王言者，岂以仁义为不美？其心曰：‘是何足与言仁义也’云尔，则不敬莫大乎是。我非尧舜之道，不敢以陈于王前，故齐人莫如我敬王也。”（《孟子·公孙丑章句下》）

你觉得孟子这话说得怎么样？我觉得他讲得太有道理了，尊重一个人，就要尊重他的品格，并且玉成他的品格，这才是真正的尊重！爱一个人，就要对他的现在有要求，对他的未来有期待！

◎向圣人看齐

孟子对齐宣王的期待，是让他向古代的圣王学习，向古代的尧、舜、禹、汤、周文王、周武王、周公学习。但是，大家可能会疑惑：齐宣王凭他的德性和素质，他能做到吗？实际上，齐宣王自己都没有信心。很多人都没有信心。比如说孟子就碰上一个叫曹交的人，他就没有信心。

> 曹交问曰："人皆可以为尧舜，有诸？"孟子曰："然。""交闻文王十尺，汤九尺，今交九尺四寸以长，食粟而已，如何则可？"曰："奚有于是？亦为之而已矣。"（《孟子·告子下》）

曹交有一天就问了孟子一个问题："孟先生，听人说，你说过一句话，人人都可以成为尧舜，是这样吗？"孟子说："当然是这样。"曹交说："那好，我听说周文王身高一丈，我还听说商汤身高九尺，我现在正好是九尺四寸多高，身高正好在他们两人之间，他们两个人都是古代的圣王，可是我怎么就只知道吃饭？您倒告诉我，我怎样才可以成为尧舜？"孟子说："一下子就成为尧舜，当然不可以，但是尧舜怎么做，你就怎么做，这难道不可以吗？做着做着，就是尧舜了！"

孟子这句话，实际上说了一个关键问题，就是这个世界上很多事，不是你没有能力做，而是你有没有意愿去做，"是不为也，非不能也"。孔子、孟子教人，就是教我们把那些伟大的人物作为榜样，照着他们的样子去做罢了。

颜渊同学就是这样做的。颜渊曾经说过一句话："舜何人也？予何人也？有为者亦若是。"（《孟子·滕文公上》）意思是，"舜是什么人呢？我是什么人呢？有为的人都应该像舜一样"。颜回为什么在孔子的学生中境界最高？就是因为他把古代的仁王大舜作为自己的人生目标啊！

◎仁者亦自爱

我们在第三十讲里讲到"仁者爱人"，但今天，我要说，爱的最高境界，乃是自爱：对自己有要求，就叫自爱。颜回就是一个自爱的人。

我们来看看下面这个故事。有一天，子路、子贡和颜渊陪孔老师坐着。孔子问了一个问题："什么叫智者，什么叫仁者？"子路回答说："智者使人知己，仁者使人爱己。"意思是，智者能够让别人了解自己的智慧，仁者能够让别人爱自己。孔子一听，说："你这话说得很有一点士人的风范啊。"子贡的回答是："智者知人，仁者爱人。"意思是，智慧的人能够知人，仁德的人能够爱人。孔子一听，说："说得好啊，你也是具有士的风范的人啊。"颜回的回答是："智者自知，仁者自爱。"孔子一听，非常感动，曰："可谓士君子矣。"

> 子路见于孔子。孔子曰："智者若何？仁者若何？"子路对曰："智者使人知己，仁者使人爱己。"子曰："可谓士矣。"子路出，子贡入，问亦如之。子贡对曰："智者知人，

仁者爱人。”子曰：“可谓士矣。”子贡出，颜回入，问亦如之。对曰：“智者自知，仁者自爱。”子曰：“可谓士君子矣。”（《孔子家语·三恕》）

那么什么叫自爱呢？自爱就是爱惜自己的品性，绝不允许自己品性污浊；爱惜自己的天赋，绝不允许浪费；爱惜自己的人生，绝不使之虚度；爱惜自己的人格，一定要成圣，成贤！

有一词语，叫爱惜羽毛。一般理解是不要把羽毛弄脏了，要洁身自好，爱惜自己的名声。这当然没错，但最高境界的爱惜羽毛，是什么呢？是既然拥有了羽毛，那就绝不和鸡鸭同群，而是要向雄鹰学习，一飞冲天！不浪费自己的天赋，才是最大的自爱！

这一讲我们就讲到这里。在下一讲，我会继续说什么叫自爱，它可不是不亏待自己。

第三十三讲 不居下流

大家好，我是鲍鹏山，咱们一起接着读《论语》。

上一讲，我讲了仁者自爱，自爱就是绝不允许自己堕落，绝不允许自暴自弃。最后，我还讲了一个词，叫爱惜羽毛。君子怎么可以不爱惜自己的羽毛呢？

来看看子贡是怎么说的：

19.20　子贡曰：“纣之不善，不如是之甚也。是以君子恶居下流，天下之恶皆归焉。”（《论语·子张》）

子贡的意思说：“商纣王他那个坏啊，也不像传说的那样严重。所以君子非常害怕居于下流，因为一旦居于下流，就会像商纣王一样，天下所有恶名都会归到他头上了。”

子贡真是一个很有见解的人，我们现在都知道商纣王是一个昏聩而又残暴的君王，但有几个人知道商纣王还有不少功劳？他开发东方，对中原文化的发展和中国的统一，都曾做出过贡献。就他本人的素质而言，他还真的不是完全昏聩的，他是文武全才。可是我们为什么不念他这些好，而众口一词地去骂他为暴君呢？子贡告诉我们，因为商纣王残酷地压迫人民。凡是压迫人民的人，不论你其他地方有什么功绩，都会被一笔勾销，这就叫一票否决！

其实，一个人也是这样：一旦把自己的名声搞坏了，一切罪名都会集中到他头上，一切脏水都会泼到他身上，各种坏事，是他做的，甚至不是他做的，最后都是他做的了。相反，那些他曾做过的好事，人们也就不愿提它了。长期不提它，人们也就忘了他曾做过的一些好事了。

◎ 和谁去讲道理

我来讲一讲我的一个朋友的故事吧。我这个朋友，出生在乡下，在农村长大，后来考上大学还做了大学教师。有一次他和我喝酒，说起他小时候在乡下，调皮捣蛋，姥姥不疼，舅舅不爱，狗都嫌，是个有名的熊孩子。

有一次，他们村里有人挖井，挖了一半，有十几米深了，第二天要接着挖，可是第二天却发现，井里被人在夜里面推进去一个石磙。十几米深的狭窄的井里，一个几百斤重的石磙，要弄上来，那是千难万难啊！谁这么缺德呢？全村人一合计，一致推定：这样没名堂的事，只有一个人干得出来，就是我这个朋友！于是，一村人都到他家，找他爸爸算账。可是，这事真不是他干的，他没有“作案”时间：他前天就离开村子，去了十几里以外的姥姥家了，根本就没回来！但是，人家不信。理由就是这样没名堂又缺德的事，不可能有另外的人做，只有你家这个熊孩子，才能够恶作剧做出这种事！

我朋友的父亲是个老实巴交的人，一再申明，“孩子昨晚不在村里，所以不可能是他做的！”村里人说：“很可能是他做了这事，怕了，躲到姥姥家了！”朋友父亲说：“前天就走了，那时石磙还没被推到井里呢！”村里人说：“那谁敢保证他昨天晚上没回来？说不定回来干了这件事，又跑去姥姥家了！”说到最后，连我朋友的父亲都怀疑起自己的儿子了，说不定这混小子真的昨天晚上回来了，没进家门就先干了这件事，然后又转身跑回姥姥家了！没办法，我朋友的老实巴交的父亲，只好出钱出力，央求一些人帮着他，千难万难地把那个大石磙从十几米深的井里再吊上来。

我朋友回村后，被他父亲一顿胖揍。现在你想想，我这个朋友，他到底是冤枉呢，还是不冤枉呢？

◎三个祸害已除

我再讲一个熊孩子的故事。这个熊孩子是晋朝的人，名字叫周处，还没到二十岁，就臂力过人，好骑马驰骋田猎，不修小节，纵情遂欲，当地的老百姓都把他看成一个祸害。但周处这个年轻人还有一点羞耻心，有一点自知之明，渐渐地他知道自己为人所厌恶，便想着找个机会做点好事，改变一下自己的形象。

有一次，他看到几个父老乡亲愁眉苦脸，就凑上去问他们：“现在时政和谐，年成丰收，你们怎么愁眉苦脸呢？”乡亲感叹道：“哪里不苦恼呢？有三个祸害未除，我们哪有什么快乐呢？”周处一听：“哇！三个祸害！哪三个？”父老们回答道：“南山上有个白额猛虎，河里面还有一条害人的蛟龙，还有一个祸害，比这两个更凶恶。”周处一听，说：“南山上的猛虎和河里的蛟龙，这两个祸害，我能除掉它们。”父老乡亲说：“你如能除掉三害，就是我们这个地方的大庆，不只是除害而已。你好好干，我们看好你。”

周处想着做好事，就进入深山真的射死了猛虎，又跳到河里面与蛟龙搏斗。周处骑在蛟龙身上，蛟龙在水里时沉时浮，游了几十里，而周处绝不放手，也在水里沉浮不定。后来，蛟龙不再出现了，周处也不见了，三天三夜也不见他回来。人们都认为，老虎死了，蛟龙死了，周处也死了，三个祸害都死了，大家都高高兴兴，敲锣打鼓，燃放鞭炮来庆贺。

没想到，周处最终杀死了蛟龙，回来了。他以为大家在为他担心，以为他死了会哀悼他。没想到，他回家以后听到的是乡里敲锣打鼓互相庆贺，他才突然明白，原来比老虎、蛟龙还让人害怕、仇恨的那第三害，就是自己。他一下子羞耻万分，瞬间清醒了。

那么讲到这里，我要停一下，让大家想想，此时的周处，是冤枉呢，还是不冤枉呢？

一番痛苦的反思过后，他离开老家，到吴国去寻找大贵族、大诗人陆机、陆云兄弟。当时陆机不在，周处见到弟弟陆云，把自己的处境告诉了陆云。他说自己很痛苦，又很后悔自己的所作所为，于是对陆云说：“我想修养操行，但岁月蹉跎，我已经这么大年纪了，恐怕来不及了。”陆云说：“古代的人看重早上知道自己过失晚上就改正，你还如此年轻，前程万里，你要担心的是能不能够下决心改正，不要担心来不及。”

周处听了陆云的话，下定决心，严格地要求自己，磨砺自己的意志，发奋好学，最后，他既有文才，又讲义气，仁义刚烈，为人忠信。一年后，州里、府里都争着来征召他做官。后来，他在各地做官，都能造福一方，直至最后为国捐躯，成就了一生的美名。

周处，字子隐，义兴阳羡人也。父鲂，吴鄱阳太守。处少孤，未弱冠，膂力绝人，好驰骋田猎，不修细行，纵情肆欲，州曲患之。处自知为人所恶，乃慨然有改励之志，谓父老曰：“今时和岁丰，何苦而不乐耶?”父老叹曰：“三害未除，何乐之有!”处曰：“何谓也?”答曰：“南山白额猛兽，长桥下蛟，并子为三矣。”处曰：“若此为患，吾能除之。”父老曰：“子若除之，则一郡之大庆，非徒去害而已。”处乃入山射杀猛兽，因投水搏蛟，蛟或沈或浮，行数十里，而处与之俱，经三日三夜，人谓死，皆相庆贺。处果杀蛟而反，闻乡里相庆，始知人患己之甚，乃入吴寻二陆。时机不在，见云，具以情告，曰：“欲自修而年已蹉跎，恐将无及。”云曰：“古人贵朝闻夕改，君前途尚可，且患志之不立，何忧名之不彰!”处遂励志好学，有文思，志存义烈，言必忠信

克己。期年，州府交辟。仕吴为东观左丞。孙皓末，为无难督。（《晋书·周处传》）

讲到这里，我们再回头看一看，我的那个朋友你知道后来怎么样了吗？被父亲一顿胖揍之后，他也冷静下来，意识到自己的行为已经被乡里乡亲厌恶，对此他也深感羞耻。于是幡然改悔，一边重新做人，一边努力学习，最终成为全村第一个大学生。

我在上一讲里，讲一个人最大的爱，是自爱。很多人以为，自爱就是自私自利，就是让自己好好地享受，绝不亏待自己。如果你这样理解自爱，那么，这种自爱的最典型的例子就是商纣王。商纣王骄奢淫逸，酒池肉林，竭尽所能耗尽国力以供他一人的享受。他不是很爱自己吗？他这样爱自己，爱到最后，是什么结果呢？是被天下抛弃，落得个一把火自己烧死自己的结局。死后，又被当作昏君、暴君的典型，骂名千载，这能叫自爱吗？

这是孟子讲的自贼啊！自贼，就是自己害自己，最后自己杀死自己！商纣王最后就自杀了。而周处的自爱，以及我那位朋友的自爱，就是子贡说的："君子恶居下流。"爱惜自己的名声，爱惜自己的品德，爱惜自己的形象，发扬自己的天赋就是"君子恶居下流"。最后，他们都走出了人生的迷途，走上了自己的康庄大道！

这一讲，我们说到了君子要像鸟儿爱护羽毛一样爱惜自己的名声，可我们的大圣人孔子，居然不怕别人往自己身上泼污水，这是怎么回事呢？下一讲你就知道了。

第三十四讲 自跳陷阱

大家好，我是鲍鹏山，我们一起接着读《论语》。

上一讲，我讲了子贡对商纣王的惋惜，子贡认为商纣王固然不是好人，但也没有坏到十恶不赦，一无是处。既然如此，为什么我们的历史只说他的坏，不说他的好呢？答案是他把自己的名声搞坏了。这就如同一个人，把自己的品性搞低下了，把自己的名声搞坏了，自己把自己污名化了，如同河流的下游，一切的污泥浊水都汇聚到那里了。所以，结论是：君子不居下流。

◎ 自跳陷阱

不过，说到人要爱惜自己的名声，我倒想说说孔子的一个故事。在这个故事里，我们看到，孔子还真的不怕污泥浊水。

鲁国国君鲁昭公是一个对孔子很好的人，但也是一个可怜的人。他一生虽是国君，但是大权却被三个最有权势的大夫，叫“三桓”的掌控，受尽窝囊气。最后，还在鲁昭公二十五年（公元前517）被“三桓”赶出国门，先到齐国，再逃到晋国，在外面流亡八年以后，死在晋国。

但是，鲁昭公也做了一件违礼之事。据《左传·哀公十二年》记载，他娶了吴国国君的女儿。可是，吴鲁两国本是同族同姓：吴国是周文王的伯父太伯的后代，鲁国是周文王的儿子周公姬旦的后代，两国都是姬姓。按周礼规定，同姓是不能通婚的。

春秋时，国君夫人的称号，一般是用她出生地的国名加上她的姓。比如说，鲁昭公的这位夫人，她是吴国人，她又姓姬，所以就应称“吴姬”。但这个“姬”是张扬不得的，为什么呢？因为鲁昭公也姓姬，他的名字就叫姬裯。一个鲁国的姬姓男子娶了一个吴国的姬姓的女子，会被别人笑话的，并且是违礼的。于是，鲁昭公就不敢称呼他的这位夫人为“吴姬”，就称呼她为“吴孟子”——“孟子”就可能是他夫人的字，鲁昭公的意思可能是想用这样的方法把这一违礼之举遮掩过去。但是，这样一件明明白白的事，能瞒过谁呢？大家只是不说破，给他留个面子罢了。

但是，总有一些人，出于各种各样的目的或心理，要撕破他的脸皮。我们来看看《论语·述而》：

7.31　陈司败问：“昭公知礼乎？”孔子曰：“知礼。”孔子退，揖巫马期而进之，曰：“吾闻君子不党，君子亦党乎？君取于吴，为

同姓，谓之吴孟子。君而知礼，孰不知礼?”巫马期以告。子曰：“丘也幸，苟有过，人必知之。”（《论语·述而》）

这说的是孔子周游到了陈国，此时鲁昭公实际上已经去世。陈国的大司寇陈司败居心叵测地问孔子一个问题：“你从鲁国来，贵国过世的鲁昭公知礼吗?”孔子淡然但是很确定地回答了两个字：“知礼。”其实，孔子岂不知道陈司败的这一个问题是居心叵测的呢？孔子岂能不知这个询问中包含着一个阴险的陷阱？孔子只需要回答三个字，“不知礼”，他就可以轻松地跃过这个陷阱。但是，孔子却坦然地自己走进了这个陷阱。

陈司败很高兴，觉得他自己真的是用这个陷阱套住了孔子。在孔子走了以后，他对孔子的学生巫马期说：“我以为君子不会因为个人交情而违背他的公正，可是今天我却发现不是这样。鲁昭公娶了吴国的同姓女子，还欲盖弥彰地把她称作吴孟子。可是你的老师孔先生竟说他知礼。如果鲁昭公这样的做法都算知礼，还有谁不知礼?”

巫马期回来以后又把这个事情告诉了老师孔子。孔子听了，还是淡然一笑：“我孔丘真是很幸运，只要有错，别人马上就能看出来。”

我们来想一想：孔子为何说鲁昭公知礼？我想至少有这么一些理由：

第一，在对别国的官员谈到自己国家的已经去世的国君的时候，对国君的缺点做适当的遮掩和维护，这本来就是礼的一部分。

第二，鲁昭公对孔子是有恩德的（鲁昭公曾两次帮助过孔子），在面对自己的恩人的缺点被人指责时，出于感恩，做出一点遮掩和保护，这也是人心中应该有的善良。

第三，在面对一个人无损于他人的缺点和失礼时，应该有一种宽容和遮掩。很多时候，不管不顾地说出事实，显示自己的方正，并不难。难在作为一个有血、有肉、有爱、有恨的人，在这个世界上，有很多的事，你是需要管，需要顾，需要呵护，需要珍惜的。

面对艰难的世道和脆弱的人性，不惜牺牲自己的声誉，给他人以慈悲和宽容，这才是大慈大悲的情怀！所以，一己的羽毛，显示的是自己的皓皓之白，君子当然要加以维护。

但是，当某一种情境出现，需要我们用自己的羽毛去覆盖和遮护他人血污斑斑的伤口时，一己的羽毛，又有什么不可以污秽的呢？

这就是圣人的胸襟啊！其实，真正强大的人都不会那么玻璃心。真正有修养、有境界的人，也不怕别人泼污水。

◎政治试验田

我们再看看下面的故事。

17.7　佛肸召，子欲往。子路曰："昔者由也闻诸夫子曰：'亲于其身为不善者，君子不入也。'佛肸以中牟畔，子之往也，如之何？"子曰："然，有是言也。不曰坚乎，磨而不磷？不曰白乎，涅而不缁？吾岂匏瓜也哉？焉能系而不食？"（《论语·阳货》）

这段对话涉及一个故事，晋国有一个大夫，叫范中行。范中行手下有一个信得过的人，叫佛肸。范中行叫佛肸帮他去治理自己的封邑中牟城。后来，晋国执政大臣赵简子攻打范氏，包围了中牟，佛肸据守中牟抵抗赵简子。因为赵简子是晋国的执政大臣，代表国家来攻打范氏，于是，范中行就有了反叛国家的嫌疑，而这个帮着范氏守住中牟以抵抗赵简子的佛肸也就是叛乱之臣了。

但这个佛肸也挺有意思，他竟然别出心裁，想召请孔子去帮他治理中牟城。孔子哪里看得上这样的人呢。但是，他也实在是想找一块政治试验田，于是就动了心，想去。

佛肸为中牟宰。赵简子攻范、中行，伐中牟，佛肸畔，使人召孔子。孔子欲往。（《史记·孔子世家》）

子路一看，这还得了？赶紧拦阻，说：“从前我从老师那里听说过：‘亲自做坏事的人的那里，君子是不去的。’如今佛肸据中牟叛乱，您却要去，您让我怎么说您?!”孔子一听，叹口气，说：“是的，我说过这话。但不是还有这样的一句话吗？‘不曰坚乎，磨而不磷？不曰白乎，涅而不缁?’我为什么想去呢？我是想有个试验田做点事啊!”

我们来看看孔子这个地方讲的这两句话：“不曰坚乎，磨而不磷？不曰白乎，涅而不缁?”

这两句话的意思是什么呢？如果你自己足够坚定，谁能扭曲你？如果你自己足够纯粹，谁能玷污你？所以，孔子不怕别人对他泼污水。孔子生前被人泼污水，死后也一直被人泼污水。但他仍然是伟大的，人格是伟岸高挺的。

◎和尚的孩子

讲到这里，我再讲一个日本和尚的故事。在日本江户时代中期，有一位法号白隐的禅师（1685—1768 或 1686—1769），他道行高深，声名远扬，深受百姓的敬仰与爱戴。白隐禅师所在的寺院附近有一个村庄，有一天，村里的一个少女还没出嫁，竟然怀孕了。

这件事情在那个时候是一件很丢人的事，她的父母更是觉得抬不起头。他们就逼问女儿，这个孩子是谁的。起初，这个女孩子坚决不肯说出那个男人是谁，因为她生怕一讲出来，她的男朋友会被父亲打死。后来经不起父亲的一再逼问，她念头一动，爸爸最尊敬的是白隐禅师，就说："我肚子里的小孩是白隐禅师的。"她的父母和全村人都非常震惊，觉得白隐和尚简直如同禽兽，他们一起来到寺院，对白隐禅师一顿羞辱和斥骂。白隐平心静气地听完了事情的原委，一句辩解的话都没说，反而好像若无其事地说道："是这样的吗？"孩子出生后，女孩的父亲把孩子抱到寺院，扔给白隐，说："这是你的孽种！"从此，白隐禅师名声扫地。

但白隐禅师默默地做了这个小孩的保姆，天天带着小孩化缘奶汁，到处遭受别人的辱骂与耻笑。人家都指着鼻子骂他表面上道貌岸然，实际上如同禽兽。

一年过后，那个女孩实在难以承受心灵的折磨与拷打，就对她的父母说出了事实真相。父母听后，心里感到无限的懊悔，立刻带着全家老小，向白隐禅师赔罪忏悔。白隐禅师听了以后，还是淡淡地说了句："是这样的吗？"就将孩子又还给了女孩。

这个白隐禅师跟孔子一样，又是一个不怕别人泼污水的人。孔子宁愿被人误解，他也要保护鲁昭公和吴孟子。白隐和尚宁愿被人辱骂，也要保护那个女孩子。

今天，我们很多人动不动就觉得受到别人的侮辱了，动不动就觉得自己的自尊心和人格被谁伤害了。这都是不够自信，都还不是真正的强大。真正的强大，是保护别人，而不是神经质一般地包裹自己。其实，真正具有水晶般品格的人，绝不是玻璃心！

第三十五讲 容人

大家好，我是鲍鹏山，我们一起接着读《论语》。

上一讲，我们讲到，孔子宁愿自己被人误解，宁愿自己背上骂名，也要维护他人。所以，我说，君子要爱惜自己的羽毛，但是这个世界上，还有很多东西，比自己的羽毛更值得维护。孔子维护鲁昭公和吴孟子这两个可怜的人，还有日本的白隐禅师呵护那个可怜无助的女孩子，这些让我们看到了一种更加高尚的东西，那就是自我牺牲的精神。

◎提问错误

其实，孔子还有一个类似的故事。有一天，鲁国的一个大夫，在家里举行练祭。练祭，就是古代父母亲去世一周年的祭礼。按照周礼的规定，这种祭祀的礼器——礼杖，是不可以拿在手里的，而是应该分列摆在祭坛的两边。可是这位大夫估计对周礼不是很熟悉，在祭祀过程中，他把礼杖拿在手上，这个事被子路看见了。子路觉得抓住了别人的错处，就问孔子："这个鲁国的大夫在举行练祭时把礼杖拿在手里，符合礼吗？"孔子回答："这个我不懂。"

子路一下子很高兴，跑出来就跟子贡说："我一直以为我们老师什么都懂，今天我才知道，老师也有不懂的啊。"跟了老师这么多年，终于发现老师也有不懂的事情，子路觉得很惊喜。子贡说："你问了什么问题？老师怎么就不懂了呢？"子路就把他问老师的话告诉了子贡。子贡很聪明，他一听心里就明白是怎么回事，说："你别急，在这儿待着，我进去帮你再问问。"子贡进去后见到老师，子贡这样问道："老师，举行练祭时手执礼杖是不是符合礼？"孔子回答："不符合礼。"原来，孔子懂。

那么现在有一个问题，子路、子贡问的是同样的问题，而孔子的回答却不同，为什么？其实两人的问法有一个小小的区别：子贡问的是在举行练祭时礼杖是否应该拿在手里，而子路问的是某一位大夫在练祭时手里面拿着礼杖是否符合礼。区别在哪里？就在于有没有一个具体的指称对象。

所以，子贡出来后跟子路说："师兄，不是老师不懂，而是你的问法就不符合礼。你的问题，就是让老师直接说鲁国大夫做得不对。老师不是不懂，老师只是不愿意向别人指出鲁国大夫的错误。"

子路问于孔子曰："鲁大夫练而杖，礼也?"孔子曰："吾不知也。"子路出，谓子贡曰："吾以为夫子无所不知，夫子亦徒有所不知也。"子贡曰："子所问何哉?"子路曰："由问：'鲁大夫练而杖，礼与?'夫子曰：'吾不知也。'"子贡曰："止，吾将为子问之。"遂趋而进，曰："练而杖，礼与?"孔子曰："非礼也。"子贡出，谓子路曰："子谓夫子而弗知之乎，夫子徒无所不知也。子问非也，礼，居是邦，则不非其大夫。"（《孔子家语·曲礼·子夏问》）

你看，为了给别人遮掩过错，宁愿自己被误会，损害自己的名望，这就是孔子啊！

在这个故事里，我们还看到，子贡比子路厉害，因为，他一下子就意识到，老师不是不知道，一定有别的原因。而事实上，子贡已经知道问题出在哪里，所以他才把子路问老师的问题重新换一个方式问了一次，而这一问，果然就证明了问题在于子路的问法。让老师直接指出鲁国大夫的错误，这一点，恰恰是不符合礼的。那么子路的问题在哪里?

子路自以为掌握了标准答案，自以为有知识，就拿自己懂的东西去对照别人不懂的，从而照出别人的瑕疵和错误，显出自己的聪明正确。这实际上是很多有一技之长的人的毛病：我比你高明，所以我就可以对你指指点点。

◎子贡好为人师

其实，子贡原先也是有子路这样的毛病。在孔子生前，子贡的成绩是班级前三，应该没有问题。甚至更准确地说，除了颜回，还真没有人能和他比。

这样的一个牛人，他就一定会有一些牛人共同的毛病。这个共同的毛病主要有三点：第一，因为自家有成就，所以看不起人；第二，因为自家够聪明，所以不够努力；第三，因为自家又聪明又有成就，所以就好为人师。

子贡这三个毛病都有了。比如说他就喜欢对人评头论足。自家是成功人士，对别人指手画脚、指指点点来显示出自己有能力。于是，孔子就有一次出来收拾他。

14.29　子贡方人。子曰："赐也贤乎哉？夫我则不暇。"（《论语·宪问》）

这一段话的意思是，子贡老是对别人指手画脚。孔子就很生气，孔子对他说："端木赐，你就那么好吗？要是我，我可没有闲工夫去纠正别人。"

在没有去掉自己眼中的"树木"之前，我们哪有闲工夫去指责别人眼中的一根小小的刺呢？更多的时候，我们的缺点比别人的更多，错误更多，更需要加以改进。所以，在《论语》里面，孔子更多的是要求我们"正己""正身"，而一直反对我们动不动就去所谓的"方人"。

鲁国有一个人，为父亲守丧，丧期结束的当天，就在家里放声唱歌。子路听到后，就嘲笑他："这个家伙太不像话，丧期一结束，就开始唱歌了。这么急不可耐吗？"

孔子一听，就批评子路："仲由啊，你什么时候才能停止苛责别人呢？三年之丧，他已经够苦了，做得很不容易了。今天服丧期满，他唱个歌又有什么不可以呢？你对人也太苛刻了。"

其实，丧期结束的当天就唱歌，确实不好，让人感觉他守丧只是无奈地遵守规则，而不是出于一种真诚的痛苦，好像这漫长的丧期早已使他急不可耐。所以，子路走后，孔子也说："这个人丧期刚结束就唱歌，确实不好，如果再过一个月，就好了。"

> 鲁人有朝祥而暮歌者，子路笑之。孔子曰："由，尔责于人终无已。夫三年之丧，亦以久矣。"子路出，孔子曰："又多乎哉！逾月则其善也。"（《孔子家语·曲礼·子贡问》）

你看，孔子也知道那个人是错的，但问题是，他不愿意去批评别人。在孔子看来，人家有错，不是我们苛责他的理由，恰恰是我们宽容他的地方。别人的缺点，不应该是我们指责的借口，更不应该是我们幸灾乐祸的借口，这个人恰恰是我们要加以呵护的对象。人的缺点，就如同人的伤口，需要的是我们的呵护，而不是攻击。

◎ 大德容众

我们再看孔子和子路的不同。有一天，子路问了孔子一个问题："管仲的为人怎样？"孔子回答得毫不犹豫："仁也。"

可是子路不服。子路说：“管仲游说齐襄公，齐襄公没有听从，这说明什么呢？说明管仲没口才。管仲想立公子纠为国君却没能成功，这说明什么呢？说明他没有才智。管仲的家人在齐国遭到杀害他没有忧伤，这说明什么呢？说明他没有仁慈心。戴着镣铐坐在囚车上他毫不羞愧，这说明什么呢？说明他没有羞耻心。管仲最后侍奉自己曾经想射杀的国君，说明他不坚贞。召忽为公子纠殉死而管仲不愿意去死，这说明什么呢？说明他不忠诚。——你看这个人有这么多的毛病，你怎么称他是一个仁人呢？”

子路言之凿凿，在他眼里，管仲几乎是一无是处。

可是，对管仲的上述问题，孔子是怎么看的呢？孔子说：“管仲游说齐襄公，齐襄公不听从，不是管仲的毛病，是齐襄公昏聩。管仲想立公子纠为国君却没能成功，不是管仲没有能力，而是时运不济。管仲的家人遭到杀害的时候他没有表现出过多的忧伤，不是他不够慈悲，而是他知道审时度势。戴着镣铐坐在囚车上他毫不羞愧，这并不说明他不知羞耻，而是他能够把握自己。侍奉自己曾经用箭射过的国君，是他知道随机应变。他和召忽一起辅助公子纠，公子纠死了以后，召忽殉死而管仲不死，不是他不够忠诚，而是他知道轻重。”

子路问于孔子曰：“管仲之为人何如？”子曰：“仁也。”子路曰：“昔管仲说襄公，公不受，是不辩也；欲立公子纠而不能，是不智也；家残于齐而无忧色，是不慈也；桎梏而居槛车，无惭心，是无愧也；事所射之君，是不贞也；召忽死之，管仲不死，是不忠也。仁人之道，固若是乎？”孔子曰："管仲说襄公，公不受，公之暗也；欲立子纠而不能，不遇时也；家残于齐而无忧色，是知权命也；桎梏而无惭心，自裁审也；事所射之君，通于变也；不死子纠，量轻重也。夫子纠未成君，管仲未成臣。管仲才度义，管仲不死束缚而立功名，未可非也。召忽虽死，过与取仁，未足多也。"（《孔子家语·致思》）

同样的事实，孔子和子路做出了不同的判断。事实上，我们说人生的历程如同穿过一片荆棘，而我们偏偏穿着道德的棉袄。谁能穿着棉袄穿过荆棘从而不被钩挂得处处破损？一个人在盖棺论定之时，谁能保证道德上是完璧之身呢？脆弱的人性，需要宽容的世道。艰难的人生，需要慈悲的情怀。

所以，《论语》中有以下两章：

12.22 樊迟问仁，子曰："爱人。"（《论语·颜渊》）

17.6 子张问仁于孔子。……曰："恭，宽，信，敏，惠。……"（《论语·阳货》）

善待别人，不苛刻待人，那就是爱人，就是仁！

我们这一课就讲到这里。最后，留个小问题：你能说一说好朋友的优点都有哪些吗？下一讲，我会接着跟你说说"温、良、恭、俭、让"里"恭"这个字。

第三十六讲

当恭敬成为气质

大家好，我是鲍鹏山，咱们一起接着读《论语》。

上一讲，我讲了一个主题，“大道容下，大德容众”，这句话八个字出自汉代刘向的《说苑·君道》。

其实，孔子之所以愿意帮着鲁国的大夫掩饰他们犯下的错误，是因为这种错误其实很小，只是一些细节上的错误，并不是他们不够虔诚或敷衍了事。孔子最看重的，是礼仪背后的价值观。一切礼仪、礼数、礼节其实都是形式，关键在于这些形式背后的价值，用《论语》中的话说，叫“礼之本”。我们来看看下面的这一章：

3.4　林放问礼之本，子曰：“大哉问！礼，与其奢也，宁俭；丧，与其易也，宁戚。”（《论语·八佾》）

有一个叫林放的，有一天向孔子请教礼的本源是什么。孔子说：

"你能这样提问，很了不起！说明你很懂啊。举行礼仪，与其奢侈浪费，不如朴素节俭；办丧事，与其仪式周到，不如悲伤哀痛。"

其实，正如《礼记》上说的，礼的本质，是"自卑而尊人"，无论是对鬼神的祭祀之礼，还是社会中人与人之间、各种社交场合的礼仪，都是为了培育和维护我们的敬畏心和恭敬心。对鬼神天地有敬，对国家大事和日常事务有敬，对他人有敬，一个人，做到了这样，不就是很好的修养吗？

◎是态度也是气质

我们说到这里，就要说到"温、良、恭、俭、让"的"恭"了。恭是什么呢？是谦恭，是和睦，是对人、对物有恭敬心，有敬畏心。恭和前面的温一样，不仅仅是指态度，还是一种气质。

为什么我说"恭"是指一种气质，不仅仅是一种态度？因为，我们今天讲态度，都是有对待的对象的，比如我们说，某某今天态度不好，那就是说，他对今天的这个事或是对今天的这个人态度不好。有时候老师批评你，你不屑一顾，满不在乎，甚至对着干，老师会问你："你这是什么态度？"

所以，当我们说态度的时候，一般都是有对象的，是在有对待的对象的情况下表现出来的，比如我们在一个庄重的场合，态度就很端正；我们面对师长，态度就很谦恭。但是，孔子"温、良、恭、俭、让"的"恭"，不仅仅指我们在面对特定人时的谦恭，而且是指对所有人都有的一份谦恭。甚至在没有人的时候，一个内在修养好的人，他也是很恭谨的。比如孔子曾经这样回答樊迟的问题：

13.19　樊迟问仁，子曰："居处恭，执事敬，与人忠。虽之夷狄，不可弃也。"（《论语·子路》）

樊迟问怎样做才算仁。孔子说："平时在家，很恭敬；出门做事，很敬业；为人办事，很尽力。这三种德行，你即使是去了夷狄之地，也是不可放弃的。"

你看，这里讲到了"居处恭"，什么是"居处恭"呢？就是一人在家，也有这种恭谨的气质，也不放肆。

所以，我说恭不仅仅是一种态度，而是一种深入骨髓的气质，是一种修养。恭，不仅仅是对人的，也不仅仅是对天地，对祖宗，对鬼神的，它还是对待生活中的万事万物的。比如，一朵花，开在路边，你要小心地避开它，不要随便地踩了它，更不要摘了它。一个茶杯，你喝茶时，轻拿轻放，这都是对万物的恭。而要做到这一点，就不仅是有一个端正的态度了，而是要有修养的气质。

◎孔子生气了

我来讲一个故事。孔子有一个老朋友叫原壤，原壤这个人一辈子放荡不羁。有一次，原壤的母亲去世了，孔子到他家里去吊唁。到了一看，原壤是一点悲痛的神情也没有，而是高高兴兴的，丧事根本就没有料理。

孔子是个料理丧事的行家，对殡葬之礼也非常熟悉。于是他就跟弟子们说："好吧，我们留下来帮他料理丧事。"

孔子亲自帮原壤的母亲整治棺材。棺材板上要画图案，他就亲自画。这时原壤在干什么呢？他在旁边唱歌，最后，甚至跳到棺材板上去唱，而且唱的还是靡靡之音。孔子的弟子们看不下去了，很生气，不愿再干了。孔子说："谁叫他是我的老朋友呢？他就这样的脾气，我们今天不看他的面子，看在他死去的母亲的面上，把丧事办了吧。"

> 孔子之故人曰原壤，其母死，夫子助之沐椁。原壤登木曰："久矣，予之不托于音也。"歌曰："狸首之斑然，执女手之卷然。"夫子为弗闻也者而过之。从者曰："子未可以已乎？"夫子曰："丘闻之，亲者毋失其为亲也，故者毋失其为故也。"（《礼记·檀弓下》）

这个原壤，真是放荡不羁啊！即使原壤这样无礼，孔子仍然强忍着气愤，坚持把原壤母亲的丧事办完。为什么？因为，孔子有着对死去的老人的恭敬。再后来，孔子和原壤都老了。孔子经过十四年的漂泊，回到了故乡。他想去看一看这位以前放荡不羁的老熟人现在怎么样了，有没有改变。

下面就是《论语》里面的一章：

14.43 原壤夷俟。子曰："幼而不孙弟，长而无述焉，老而不死，是为贼。"以杖叩其胫。（《论语·宪问》）

孔子当时已经很老了，他是拄着拐杖去看望原壤的。原壤看到孔子来了，是什么样的态度呢？坐在地上两腿伸得老远。我们知道，古人的坐法是先跪在地上，然后臀部坐在自己的脚后跟上，这是一种非常礼貌的坐法。而粗野不礼貌的坐法就是一屁股直接坐在地上，两腿直直地叉开伸出去，就像我们家里打扫卫生的时候用的簸箕一样，所以这种坐法又叫作箕踞。原壤当时就是这样坐着在等孔子。曾经，我有一个朋友，告诉我，他第一次去女朋友家，在女友的父亲面前坐着，双腿并得紧紧的，两手放在腿上，大气都不敢喘，和女友父亲说话，谦恭得不得了。女友父亲觉得这孩子家教很好，就答应了他们继续交往。他为什么会成功地被接纳呢？谦恭啊。

而有些人，不管什么场合，都满不在乎，坐着的时候，两腿打开，大大咧咧，这其实不是自在，更不是潇洒，而是内心对他人无恭敬，更是自己的气质粗野的表现。原壤此刻的表现，就是这样。

孔子大概想起来以前原壤在自己母亲丧礼上的表现了，就特别生气，于是就骂他："你这个人，少年时不努力，中年时没建树，晚年了一事无成，还这么傲慢不懂事，你简直就是个害人的贼！"然后孔子就用自己的拐杖狠狠地敲打他的小腿。

◎收不收徒

我们刚刚讲了一个老人因为不谦恭，被孔子教训甚至被孔子用拐杖狠狠敲打他的小腿的故事，我们现在再看一个年轻人因为不谦恭而被孔子拒绝的故事。

14.44　阙党童子将命。或问子曰："益者与？"子曰："吾见其

居于位也，见其与先生并行也。非求益者也，欲速成者也。”（《论语·宪问》）

鲁国有一个叫阙党的地方。有一天，这个地方有一个小朋友给孔子送来一封信。这是一个很好的拜孔子为师的机会，估计让他送信的人也是这个意思，送信只是一个由头，让孔子收他为徒才是目的。所以，这个小朋友离开以后，就有人问孔子：“这小朋友是肯求上进的人吗？”意思也就是说，您老人家可以收他做徒弟吗？但是，很不幸，孔子说：“这小子，我见他趾高气扬地坐在位子上，又见他竟然与长辈并肩而行。这不是一个求上进的人，而是一个急于求成的人。”

古代礼节，大人长辈就坐时，晚辈应该站在旁边。可是，这位小朋友却与大人一起坐在席位上，这当然在那个时候是不知礼的，但更重要的是什么呢？是表明他心中对于长辈，对于老师没有敬畏。所以孔子觉得他是一个急于求成的人，不愿意收他为徒弟。

我们讲了一个失败的小朋友，我们再来讲讲一个成功的小朋友的故事。

7.29　互乡难与言。童子见，门人惑。子曰：“与其进也，不与其退也，唯何甚？人洁己以进，与其洁也，不保其往也。”（《论语·述而》）

有一个地方叫互乡，这个地方，民风不大好，不大讲道理。但是很奇怪，这个地方的一个小朋友却得到了孔子的接见，弟子们都疑惑不解，这个地方的人都不懂事啊，老师您怎么还接见了他们的一个小朋友呢？孔子就跟他的弟子们说：“一个人要进步，我们就得帮助。难道你打击他让他后退？这个地方的风气是不好，但我们何必做得太过分，把他们一棍子都打死？这个小朋友恭恭敬敬地来求教，想改变自己原来的不良习气以求进步，我就要赞许他，就要鼓励他，让他更加努力，而不是老盯着他以往的行为。”

两个小朋友，不同的结局。其实，第一个阙党的小朋友，比第二个互乡的小朋友开局好得多，有人推荐，多有面子。但是，结局却比互乡的惨，被孔子拒绝了，为什么？他确实有人情，有推荐，但是，他没有恭敬啊！

这一讲，我讲了“温、良、恭、俭、让”里对“恭”的理解，那什么是“俭”呢？我们下一讲再说。

第三十七讲 俭，就是剪

大家好，我是鲍鹏山，咱们一起接着读《论语》。

上一讲，我讲了“温、良、恭、俭、让”的“恭”，我说，恭，是一个人修养的表现，是一种内在的气质。其实，一个人，只要做到了“自卑而尊人”，“恭”，就会无时无刻地自然地呈现出来。比如一朵花，开在路边，你要小心避开，不要随便踩了，更不要把它摘下来。一个茶杯，你喝茶时，轻拿轻放，这都是恭，对万物的恭。

◎物尽其用

其实，在生活中，吃饭不浪费，用物讲节俭，这也是恭。有一次，在飞机上，有一个小青年打开矿泉水瓶盖，喝了几口，下飞机时，就丢下了。我笑着提醒他：“既然打开了，喝了几口了，带上吧。”他也笑着，转回身，把喝过几口的矿泉水瓶拿上了。我们当时都是彼此心照不宣，对一瓶喝过的矿泉水的态度，是我们内心对万物恭敬的一个体现。

对人、对物不恭有三种表现：第一，不能人尽其才，物尽其用。人尽其才，是对人的敬；物尽其用，是对物的敬。把一个人投闲置散，让他虚度年华，埋没才华，是对人的不恭。把一个物明珠暗投，让它闲置不用，闲置浪费，是对物的不恭。

第二，不能用其所长，故意用其所短。对一个人用非所长，也是对人的不恭。你让一个数学家去种地，就是对人的不恭。对一件器物，用非其用，也是如此。你把一树花枝当晒衣架用了，在上面晒裤衩子，这是对花的不恭。

第三，不当的搭配。孔子的学生颜回曾经说过这样的话：“回闻熏莸不同器而藏，尧桀不共国而治，以其类异也。”（《孔子家语·致思》）什么意思呢？就是香草和臭草不能放在同一个器皿中，唐尧和夏桀也不可能共治天下。为什么啊？他们不是同一类人啊！把不同类的人放到一起，就是不恭啊！

你在家里，如果把穿过的臭袜子放在茶几上，你妈妈会骂你，对不对？放在饭桌上，你妈妈更要生气，是不是啊？你可能觉得委屈：不就是临时放一下吗？饭桌上此刻也没有饭菜，茶几上此刻也没有茶水啊！那也不可以放臭袜子！为什么呢？很简单：饭桌和茶几不是放臭袜子的地方！

曾经，我做了一个漂亮的书桌，大家一起欣赏，这个时候有一个同事突然一跃，一屁股坐到上面。我就非常生气，严厉地说："下来！"他很委屈，说："怎么了？又坐不坏！"我说："这不是坐坏坐不坏的问题，是书桌有书桌的用途，不是放你臭屁股的地方！"

有一次，几个学生到我家里来，由于是常来的几个学生，也都比较放松随意。其中有一个学生拿着我的一本信纸随手乱画，画一张，就撕下来再画。我看着他："你干什么呢？"他说："这有什么啊？老师，你这里信纸这么多！"我说："这不是多不多的问题！是你对这样洁白的信纸有无敬意的问题！它是让你写信的，不是让你乱画然后撕下来浪费掉的！"

我再讲一个故事。我曾经在一个大饭堂，看到一个负责盛饭的小姑娘，把每一碗饭都盛得满满的、高高的，几十碗饭盛好，放在那里，顾客随手就去端。我观察了一下，有80%的人都吃不完，甚至有的人连三分之一都吃不掉，白白的大米饭就这样浪费了。我就对这个小姑娘说："你是不是可以少盛一点呢？你看那么多人都吃不完。"小姑娘说："可是，也有人吃得完啊！"我说："如果你盛得少一点，个别人不够吃，旁边不是还有一个随便顾客自己添饭的饭桶吗？"小姑娘不理我了。我又问她："你一天盛多少碗饭啊？"她说："中午、晚上加起来，总得两三百碗吧。"

我们身边有很多人，其实都是没心没肺的。为什么没心没肺呢？因为心中缺少恭敬啊，缺少敬畏啊！

当然，如果你认为，我舍不得学生乱撕我的信纸，看不得有人浪费米饭，是一种节俭的想法，也没错。其实我当时真的是感觉这样撕掉洁白的信纸，倒掉白白的大米饭，是一种没有敬畏的表现。其实，绝大多数的浪费，都是心中对万物缺少敬畏所致。

◎不做歪脖子树

讲到这里，实际上，我们已经讲到“温、良、恭、俭、让”的第四个字了。这第四个字是什么？“俭”。俭，一般人理解为生活节俭，不浪费，不奢靡。

这当然是对的，但是，这样的理解正确而不全面。俭最好的解释是什么？俭是做事有分寸感，能够对自己的行为有所节制。如果我们生活上有分寸，有节制，不浪费，就叫节俭。我们吃不了那么多的饭，就少要一点。到饭店去，跟服务员说：“给我来一碗饭。”如果你吃不掉一碗饭，你就说，来半碗饭。这就叫节俭。你去饭店，几个朋友在一块儿吃饭，你们只能吃五个菜，不要点第六个，这也叫节俭。

这就是有分寸、有节制。有节制的人生才是可以持续的人生。你在浪费物资的时候，实际上也是在浪费自己的生命。

我小时候，妈妈告诉我，人一辈子吃多少粮食，是有定数的，是有定量的，要节省着吃，这样才能长寿。我妈妈说的话，看起来是没有根据的迷信，但却是有道理、有德性的话，并且，也符合饮食科学。吃得太多、太饱、太油腻，会损害健康，减少寿命，这已经是有科学依据的结论了。

《论语》里面，还有一个词，叫“约”，就是“简约”的“约”，约是什么意思？约，就是约束。

4.23　子曰：“以约失之者，鲜矣。”（《论语·里仁》）

孔子说：“因为约束自己而失误的，是很少的。”办事不铺张，叫约；做事不过头，叫约；做人不张扬，叫约；生活不奢靡，叫约；说话不随意，叫约……约束自己，使自己的行为有节制，就会减少失误。谨慎节制，是减少失误的根本途径。

所以孔子说：“以约失之者，鲜矣。”我们再来看看孔子下面的话：

6.27　子曰：“君子博学于文，约之以礼，亦可以弗畔矣夫！”（《论语·雍也》）

孔子说：“君子广泛地学习文献，用礼来约束自己，也就可以不至于背离正道了吧！”

这一章的关键词有两个，一个是“博”，一个是“约”。博学很不容易，博学之后如果能收束检点，不至于背离正道。如同一棵树，没有蓬勃生长，就不见生机，但是，如果没有修剪，去除不必要的枝蔓，也不可以让一棵大树凌云参天。甚至它可能会长歪了，长斜了。那么，修剪的原则是什么呢？

恰好颜渊同学问过这个问题：

12.1　颜渊问仁，子曰：“克己复礼为仁。一日克己复礼，天下归仁焉。为仁由己，而由人乎哉？”颜渊曰：“请问其目。”子曰：“非礼勿视，非礼勿听，非礼勿言，非礼勿动。”颜渊曰：“回虽不敏，请事斯语矣。”（《论语·颜渊》）

这段话说的是，颜渊问孔子：“老师，什么叫‘仁？’”孔子说：

“克己复礼，就是仁。”颜渊又问：“如何克己复礼？”孔子回答他四句话：“非礼勿视，非礼勿听，非礼勿言，非礼勿动。”注意，这四个“勿”字，其实就是按照礼的标准，对自己的行为进行检点，然后，把不正当的行为剪除掉。

所以，“俭”，就是用剪刀把不必要的东西剪掉！“俭”，就是剪刀的剪！

下一讲，我会说“俭”这个字的几个同音字，你们一定想不到，这些字竟然都可以互相解释。哪些字呢？下一讲你们就知道了。

第三十八讲 优秀更危险

大家好，我是鲍鹏山，咱们一起接着读《论语》。

上一讲，我讲到了“温、良、恭、俭、让”的“俭”，我特别强调了“俭”是一种分寸感，是对自己行为的节制和约束。然后，拈出一个“俭”的同音字，修剪的“剪”字，说“俭”就是“剪”。

其实，汉字里有一个有意思的现象，就是同音字往往可以互训，也就是可以互相解释。比如这个“节俭”的“俭”，与之可以互相解释的就有这么多的同音字：“节俭”的“俭”，就是“简单”的“简”；“节俭”的“俭”，就是“加减乘除”的“减”；“节俭”的“俭”，还是“检查”的“检”，检点以后，有所选择，有所舍弃；“节俭”的“俭”，还是“修剪”的“剪”；“节俭”的“俭”，还是“挑挑拣拣”的“拣”；“节俭”的“俭”，还是“见”，“看见”的

“见”，没有删繁就简，哪里能够看见主干！没有去芜存菁，哪里能够看见真相！没有拨云见日，哪里能够见到自己的真心！所以，有了“俭”，才能够“见”！

◎ 当头一棒

我们来说一个故事。孔子在他三十四岁的时候，去洛邑见老子。孔子见老子，老子告诉他的是什么呢？就是节俭，就是简单、减少、简省，然后把剩下来的，捡起来，看见你真正想要的！《史记·老子韩非列传》记下了这样一则很动人的故事：

> 孔子适周，将问礼于老子。老子曰：“子所言者，其人与骨皆已朽矣，独其言在耳。且君子得其时则驾，不得其时则蓬累而行。”

孔子从鲁国远道而来见老子，有两个目的：一是到老子这个地方来印证自己的学问，所以，他一见到老子，就慷慨陈词，纵论古人，以显示自己学问的广博；二是想听听老子的学问，来增加自己的知识。没想到老子毫不留情地否定了孔子的学问，大袖一挥，把孔子心目中的古圣先贤轻轻地掸去。老子的意思是你那么多的知识，没必要，留下关键的就行了。这个关键的是什么呢？就是一个君子啊，在这个世道上，如果天下太平，官场干净，就出来做官，大济天下；如果时运不济，官场贪腐，就在野外做一棵蓬草，随风飘转吧。

当时孔子三十四岁，志向远大，才能卓越，有一股子天下兴亡舍

我其谁的劲头。老子这样的话，一定是让他惊诧莫名，如遭棒喝。一个人，如果有才干，再有志向，雄心勃勃、气势汹汹、雄辩滔滔、咄咄逼人——他此时需要的，就是老子这样的当头一棒。

老子提醒他，“小青年，这世界比你的额头坚硬得多，悠着点，不要正面地撞上了……知道进，还要学会退；知道勇，还要学会怯；知道直行，还要学会迂回；知道坚定，还要学会灵活；知道学问要广博，还得要知道学问的根本在哪里……”

我们来看看此后的孔子说过一些什么话吧——读《论语》，读着读着，我们就会突然觉得，这简直就是老子说的话，我们来看看下面这几章：

8.13　子曰：“天下有道则见，无道则隐。”（《论语·泰伯》）

14.3　子曰：“邦有道，危言危行；邦无道，危行言孙。”（《论语·宪问》）

15.7　子曰：“邦有道，则仕，邦无道，则可卷而怀之。”（《论语·卫灵公》）

我读的这三章的“子曰”，是孔子曰，实际上也是老子曰。孔子在说着老子的话。

◎把智慧藏起来

接下来，我们再来看看，老子接着教导孔子说：“吾闻之，良贾深藏若虚，君子盛德，容貌若愚。”（《史记·老子韩非列传》）

来看看老子的这句话，他不动声色地点出了两个关键字：“藏”

和“愚”。实际上，愚就是藏。把智慧藏起来，把才华藏起来，把志向藏起来，把理想藏起来。藏不是没有，不是放弃，而是收敛，是删繁就简，是藏蓄住光芒，不刺眼，是一种含蓄而坚定的保持，不咄咄逼人。在《道德经》里面，“愚”字共出现了3次，全是褒义词。为什么？因为老子的“愚”，不是智慧的缺失，而是智慧的“收藏”；不是智慧的不足，而是智慧的收敛；不是智慧的麻木，而是智慧的蛰伏；不是智慧的迟钝，而是智慧的节制。

接下来，老子这样教训孔子：“去子之骄气、多欲态色与淫志，是皆无益于子之身。”意思是戒除您身上的骄气、傲气，剪除您身上过多的欲望、过大的志向，这些都对您无利。

我们其实可以想象到：三十而立的孔子，是何等意气风发，斗志昂扬，是何等志向远大，理想崇高，是何等意志坚定，自信自负……这都是一个年轻人的优点，没有这些品格，一个人注定不会有所成功。但是，如果仅仅这样，而缺少适度的弹性、适度的退守、适度的淡泊和节制，也不会成为大才。

此时的孔子，学问有了，志向有了，眼界、胸襟都有了。但是，还缺乏一种东西：就是删繁就简。他已经不缺少能力，现在要做的是，节制自己的能力，不要四面出击，而是要有的放矢，聚精会神。

◎聪明更危险

我们来看一看，孔子到周去求教于老子，一见面，老子就给了他当头一棒。这事对孔子而言，似乎不够体面，所以，司马迁没有把它记录在《孔子世家》里，而是记录在《老子韩非列传》里。记录在《孔子世家》里的，是老子送给孔子的临别赠言。老子说："送别嘛，有钱的人送财物，有仁德的人送几句教导的话。我没钱，就冒充一下仁德的人，送你几句话吧。"

老子送给孔子的第一句话是："聪明深察而近于死者，好议人者也。博辩广大危其身者，发人之恶者也。"（《史记·孔子世家》）什么意思？一个人聪明，明察秋毫，很好，可是这样的人，往往比那些笨人更容易招来杀身之祸。为什么？因为他好议人。一个人知识广博，能言善辩，很好，可是他却因此时时处在危险之中。为什么？因为他喜欢揭发别人的隐私。聪明会使人对别人的缺点一目了然，善辩又会使人对别人的毛病说得一针见血。

笨人倒并不一定不好议人，也不是他不好揭人隐私，而是眼拙，嘴笨，没看出来别人的毛病，无从议起。即使议论别人，也不得要领，不至于戳在别人的痛处。所以最遭人恨的，往往是聪明人。

老子在告诉孔子什么？单纯的智力如同没有柄的刀片，让握住它的人自己受伤，而且刀片越是锋利，你握得越紧，伤得越深。孔子"十有五而志于学"，到此时，已经三十而立，是一个聪明深察、博辩广大的人。

老子提醒孔子，人生有两个过程：第一个过程是让自己聪明起来；第二个过程是把自己的聪明藏起来。第一个过程是让自己充分发展自己的能力，第二个过程是学会节制自己的能力。

接着老子又对孔子讲了两句话："为人子者毋以有己，为人臣者毋以有己。"（《史记·孔子世家》）意思是做儿子，不要太坚持自己，做下属，也不要太坚持自己。谁不是儿子呢？谁不是别人的下属呢？我们要学会谦恭，学会听取并欣赏别人的主张，还要学会服从权威。

其实，我一直想把这两句话中的"子"和"臣"这两个字去掉，然后，老子的这两句话就变成了一句话，"为人者毋以有己"。

人生在世，不要太彰显自己，不要太固执自己。这不是我自作聪明，删改前贤的嘉言。其实庄子早就这样改了，他的句子比我的更简洁，只有三个字——"吾丧我"。"吾"和"我"有什么区别呢？"吾"就是本来的我，也就是我的本体。"我"——后来的"我"是附寄于"吾"的自以为是的观念、知识、经验、是非、好恶等等的"成见"和"成心"。那么后来的"我"总是遮蔽着本来的"吾"，不仅使"吾"不能与世界赤诚相见，反而使得"吾"认"我"为"吾"，李代桃僵了。

所以，在庄子看来，智慧的根本，在于拨云见日，呈现出本来的"吾"，汰除掉附寄的"我"。然后，以自己的本我之心与他人、与世界赤诚相见。

在这个世界上，谁没有"己"？谁没有"我"？如果每个人都固执"己"见，每个人都"我"行"我"素，这个世界将被切割成无法互相包容与理解的碎片。所以，老子的"无己"，庄子的"无我"，是道德的境界，是智慧的顶端。

那么这个“无”是什么？无，就是“毋”，就是孔子对颜回说到的“非礼勿视，非礼勿听，非礼勿言，非礼勿动”的那四个“勿”，“无”就是“不要”，就是精剪啊！“俭”，就是人生的减法！孔子见老子，老子给他说法，说的是什么法呢？说的就是减法！

第三十九讲 损之又损

大家好，我是鲍鹏山，咱们一起接着读《论语》。

上一讲，我讲到孔子在洛邑见到了老子，老子给了他很好的教导，而关键是老子给孔子做减法：要孔子戒除自己身上的骄气、傲气，要孔子剪除身上过多的欲望，过大的志向。应该说，这些话，对于三十多岁，志向远大、雄心勃勃的孔子来说，那不啻是当头一棒。

◎ 真理之外

这个“减法”的“减”，就是孔子“温、良、恭、俭、让”中的“俭”字的内涵之一啊！其实，很多事，一开始倒未必是不好的东西，但做过头了，就差之毫厘，谬以千里，好事就会成坏事。什么叫过错？过错过错，意思就是过了就错了。

前面，我就讲过这个话，什么叫错误？错误就是过了头的真理！世界上很多坏事，都是做过了头的好事。

有一天孔子带着他的弟子参观鲁桓公的庙。看到庙里有一个很奇怪的东西，倾斜地躺在那里。孔子就问管庙的人："这是什么东西啊？"管庙的人告诉孔子："这是宥坐器。"

说到这里，我先说一下，古人总是用各种办法提醒自己记住自己的缺点，改正自己的缺点。

在《韩非子·观行》里，有这么几句话："西门豹之性急，故佩纬以自缓；董安于之性缓，故佩弦以自急。"什么意思呢？说西门豹这个人性子很急，为了改变这个性子急的毛病，他就在身上佩戴着一条飘带，飘带飘飘，他就以此来提醒自己舒缓一些。董安于这个人正相反，他的性子很慢，他知道自己这个毛病，于是就在自己身上佩戴着一个绷得紧紧的弦，以催促自己做事情快一些。类似的比如古人佩玉，是为了用器物提醒自己端正品性，纠正自己气质的偏差，不像我们今天，我们的佩玉是为了装饰、辟邪，甚至是为了炫耀自己有财富，而不是要提醒自己比德于玉。还有座右铭，是把提醒自己的话铭刻于座位的右边，随时提醒自己。最有代表性的，大概就是越王勾践，悬挂苦胆不时咬一口。现在，孔子和他的学生又发现了一个东西，叫"宥坐器"。什么叫"宥坐器"呢？就是安放在国君座位右边的一个东西。这个东西是什么样子，又有什么用处呢？我们来听听孔子怎么说的。

孔子说："哦，既然是宥坐器，我知道它里面没有水的时候，是倾斜的；水装到一半的时候，它就端正了；但是装满的时候，它又倾覆了。”说完，孔子转身对自己的弟子们说：“现在我们就试验一下。”于是大家往里面灌水。这个东西本来不是倾斜在那里吗？水装到一半的时候，果然端端正正地立起来了。孔子说：“再装。”水满了，这个东西果然一下就倒了，水全都泼洒出来。于是孔子对弟子们说：“小心啊，万物都是这样，一旦自满就一定倾覆，骄傲的人一定会倒台。”

> 孔子观于鲁桓公之庙，有欹器焉，孔子问于守庙者曰：“此为何器？”守庙者曰：“此盖为宥坐之器，”孔子曰：“吾闻宥坐之器者，虚则欹，中则正，满则覆。”孔子顾谓弟子曰：“注水焉。”弟子挹水而注之。中而正，满而覆，虚而欹，孔子喟然而叹曰：“吁！恶有满而不覆者哉！”子路曰：“敢问持满有道乎？”孔子曰：“聪明圣知，守之以愚；功被天下，守之以让；勇力抚世，守之以怯；富有四海，守之以谦。此所谓挹而损之之道也。”（《荀子·宥座》）

这个宥坐器，我觉得我们今天的人，座位的旁边还真的需要也放一个。因为，它用形象的方式告诉我们，你不能一无所有，你也不可以贪得无厌。你必须有所成就，但又必须知道适可而止。你的人生需要加法，但是也需要减法。一无所有的人，是无法堂堂正正地站立的；但贪多务得、细大不捐，你又会因此彻底地倾覆。没有欲望和追求，你就没有奋斗的动力。但缺少淡泊宁静，你又会迷失自己。那么，如何处理好这个有所追求又淡泊宁静的关系呢？

◎ 损之又损之道

我们接着往下面看这个故事。在孔子讲完了这段话以后，子路就很懵懂，问孔子：“老师，我们如何能让人生很完满而又不至于倾覆呢？”孔子说：“要让人生完满而又不至于倾覆，你记住四句话吧——第一句，‘聪明睿智，守之以愚’——什么意思呢？你需要聪明，但要用愚来守住自己的聪明，不要滥用聪明。第二句，‘功被天下，守之以让’——你有盖世的功勋，但要懂得，只有谦让才能守住你的功名，不要居功自傲。第三句，‘勇力振世，守之以怯’——你勇敢强大震惊世界，但要懂得惧怕，知道惧怕才不会好勇逞强，自取灭亡。第四句，‘富有四海，守之以谦’——你富有四海，但要懂得谦虚，只有谦虚自守，才能永葆富贵。”孔子在说完这四句话以后，最后总结道：“这就是损之又损之道。”

> 子路进曰：“敢问持满有道乎？”
>
> 子曰：“聪明睿智，守之以愚；功被天下，守之以让；勇力振世，守之以怯；富有四海，守之以谦。此所谓损之又损之之道也。”（《孔子家语·三恕》）

损，就是减损，孔子是在告诉我们，人生要学会做减法。我们总是想着往我们的人生中填充什么，务求填满，一直在做加法；但人生最重要的可能恰恰是做减法。完满的人生、幸福的人生，不是看你有了什么，更多的恰恰是看你没有了什么。

有了什么不一定幸福。有了钱就幸福吗？有了权就幸福吗？还真的找不出一个东西，可以保障我们的幸福完满。但是，假如我们没有了一些东西，我们可能真的就会幸福。比如，哪一天我们没有了浮躁、没有了焦虑、没有了贪欲、没有了嗔怪，没有了蝇头小利的竞争之念，没有了人生种种的得失之忧，这些东西没有了，心灵安详了、平静了，可能真的就得到幸福了。

“损之又损之道”，实际上就是对自己的虚荣心、自负和欲望的戒备。这些东西会在你的体内膨胀，然后使你爆炸。

◎打胜仗

讲到要对自己的欲望有所戒备，我们来看一个故事。这个故事是韩非子讲的，不过他讲的也是孔子的学生子夏的故事。有一天，子夏去拜见曾子，曾子说：“好久不见，你怎么胖了？”要知道，我们今天讲胖了那是不好，古人讲胖了，是健康的表现啊。所以曾子说“你怎么胖了”，也就是说，你现在怎么活得这么健康啊？子夏怎么回答呢？子夏说：“我打了胜仗，所以胖了。”曾子一听啊：“什么意思啊？你和谁打了胜仗了？”子夏说：“我一个人在家里面读书，看见先王的仁义道德就觉得很快乐；可是出门看见那些富贵的人，又觉得富贵才会使人快乐，这两个念头一直在我的脑子里打仗，不分胜负，所以我以前就很瘦。现在先王的仁义道德打胜了，我就胖了。”

子夏见曾子，曾子曰："何肥也？"对曰："战胜，故肥也。"曾子曰："何谓也？"子夏曰："吾入见先王之义则荣之，出见富贵之乐又荣之，两者战于胸中，未知胜负，故臞。今先王之义胜，故肥。"是以志之难也，不在胜人，在自胜也。故曰："自胜之谓强。"（《韩非子·喻老》）

我们来看看，子夏说他打胜仗了，他战胜了谁呢？就是战胜自己，他战胜了自己内心中的不良欲望。实际上，不光子夏有如此的经历，与子夏关系不错的樊迟，也有这样的苦恼，我们来看看《论语》中的这一章：

12.21　樊迟从游于舞雩之下，曰："敢问崇德，修慝，辨惑。"子曰："善哉问！先事后得，非崇德与？攻其恶，无攻人之恶，非修慝与？一朝之忿，忘其身，以及其亲，非惑与？"（《论语·颜渊》）

有一天，樊迟陪着孔子在舞雩台下散步，樊迟就说："老师，今天就我们两个人，我大胆地问三个问题，哪三个问题呢？第一个问题，如何提高品德；第二个问题，如何消除邪念；第三个问题，如何辨别迷惑。"孔子一听，说："问得好啊！先努力做，然后考虑得，就能够提高品德。戒除自己的错误，不攻击别人的缺点，就能够消除你内心的邪念。一时气愤，就忘掉自身安危，甚至连累自己的父母，这就是迷惑。"

在樊迟一口气问出的三个问题里，有一个叫"修慝"。什么叫"修慝"呢？就是修剪掉自己的不良欲望。而孔子给他的回答是："攻其恶，无攻人之恶"，消除自己的不良欲望，就是多敲打自己，多修剪自己，多约束自己。谁没有过多的欲望？不战胜这些欲望，就会被欲望吞没。我们再看看：

16.7　孔子曰："君子有三戒：少之时，血气未定，戒之在色；及其壮也，血气方刚，戒之在斗；及其老也，血气既衰，戒之在得。"（《论语·季氏》）

孔子说："君子有三戒：年轻时，血气还不成熟，要戒备的是贪恋女色；到了壮年的时候，血气正旺盛，要警惕的是争强好斗；到了老年时，血气已经衰弱，最要戒的是贪求无厌。"

这个地方有一个关键字，就是"戒"。戒是什么？戒的一个重要的含义就是革除不良的欲望、性情和嗜好。比如我们常说的戒贪戒得，就是戒除不良欲望；戒骄戒躁，就是革除不良的性情；戒烟戒酒，就是革除不良的嗜好。大部分成功的人，都是持戒的人。

今天我们讲到了"温、良、恭、俭、让"里"俭"的又一层含义——戒，我们还讲到了大部分成功的人，都是持戒的人，讲到了古人总是用各种办法，来提醒自己记住自己的缺点，并戒除自己的缺点。

第四十讲 以德报怨好吗？

大家好，我是鲍鹏山，咱们一起接着读《论语》。

在第三十八讲，我讲到孔子在洛邑见到老子，老子给了他很好的教导。其实，在洛邑，让孔子深受震撼的，不仅仅是老子。

◎三缄其口

东周毕竟是有几百年历史的大帝国，有很多有历史、有寓意的器物。这些古老的东西，对于年轻的孔子，同样有着深刻的启示。比如说孔子在太祖后稷之庙就看到了一个很奇怪的东西。

我们来看看《孔子家语·观周》里面这一段的记载：

孔子观周，遂入太祖后稷之庙。庙堂右阶之前，有金人焉，三缄其口，而铭其背曰："古之慎言人也，戒之哉。无多言，多言多败。无多事，多事多患。"

有一天，孔子带着弟子去参拜周始祖后稷的庙，在庙堂右边的台阶前有一个铜铸的人像，这个铜像让孔子大为感慨。因为这个铜像的嘴巴被封了三层。这里的"三缄其口"后来就成了一个成语。缄是什么意思呢？缄就是封，就是捆绑。

我们写信，装入信封，寄给朋友，在收件人的名字后面，常常写上：启。启，就是打开。打开之前，是谁把它封起来的呢？就是寄件人。所以在寄件人的名字后面，往往写上一个：缄。缄，就是封口，就是密封。三缄其口，就是用三层封条把铜像的嘴巴给封了起来。而且这个铜像背后有一段铭文，这个铭文里面有一句感叹和警告："戒之哉"！

戒什么呢？戒多言，戒多事。我们总觉得自己聪明睿智，于是多言；我们总觉得自己有能力，很强大，于是多事。但是，多言多败，多事多患！所以，这个铜像和铭文就告诫我们："戒之哉"！

我们在上一讲，第三十九讲就讲，俭就是戒。其实，这个铜像的故事，还告诉我们，俭就是缄，三缄其口的缄，意思就是，少说话，多做事！

那么，这样的少说话、多做事的道理，我们在第十四讲、第十五讲，已经做过讲述了，所以这里就不再展开讲了。那么在上一讲，我讲到戒，我讲俭就是戒，戒是什么意思？戒就是戒除，革除不良的习气，消除不良的嗜好，排除不良的欲望。

◎酒、色、财、气

我说到要戒骄戒躁，要戒酒戒烟，孔子还说戒色戒斗戒得，你想想，什么是骄？骄不就是过了头的自信吗？什么是躁？躁不就是过了头的行动力、执行力吗？谁不爱美？过了头就叫好色。谁不需要斗志？过了头就叫好斗。谁不想有所回报？过了头就是贪得无厌。

我下面来讲一个故事。这故事不是我讲的，是明朝一个大作家冯梦龙讲的。冯梦龙《警世通言》第十一卷有一篇小说，题目叫《苏知县罗衫再合》，写才子李宏在秋江亭的墙壁上看到一首《西江月》，是这么写的："酒是烧身硝焰，色为割肉钢刀，财多招忌损人苗，气是无烟火药。四件将来合就，相当不欠分毫。劝君莫恋最为高，才是修身正道。"

这段话是告诫人们酒、色、财、气的害处，劝人正道修身，不要贪恋酒色财气。这个李宏看了以后，不以为然，他就觉得：若没有酒，失了祭享宴会之礼；若没有色，绝了夫妻子孙之事；若没有财，天子庶人皆没用度；若没有气，忠臣义士也尽萎靡。

他说的是不是也有道理？于是他也作了一首《西江月》，也写在墙上："三杯能和万事，一醉善解千愁，阴阳和欣喜相求，孤寡须知绝后。财乃润家之宝，气为造命之由，助人性情反为仇，持论何多差谬！"

这个李生说的，酒能和万事、解千愁，色是男女相求子孙繁衍所必须，有财才能支付家用，有气才能造就生命。他说的是不是也有道理？

说酒色财气不好，为人所必须戒除，有道理；说酒色财气好，为人间所不可或缺，也有道理。那么，这到底是怎么回事呢？

我们接着往下看这个故事。李生写完，掷笔于桌上。忽然一阵风起，分别代表着酒、色、财、气的四个女子翩然而至，酒女自称“善助英雄壮胆，能添锦绣诗肠。神仙造下解愁方，雪月风花玩赏”；色女认为“君子好逑淑女，佳人贪恋多才，红罗帐里两和谐，一刻千金难买”；财女强调她“收尽三才权柄，荣华富贵从生。纵教好善圣贤心，空手难施德行。有我人皆钦敬，无我到处相轻。休因闲气斗和争，问我须知有命”；最后是气女。气女开始谈哲学，讲人类起源：“一自混元开辟，阴阳二字成功。含为元气散为风，万物得之萌动。但看生身六尺，喉间三寸流通。财和酒色尽包笼，无气谁人享用。”她的意思是没有了气，酒也好，色也罢，财也罢，全都归零。李生终于明白，再美好的东西也得有所节制，于是，他再题一首《西江月》：“饮酒不醉最为高，好色不乱乃英豪。无义之财君莫取，忍气饶人祸自消。”

这四句，除了最后一句，我们要具体情况具体分析，因为一味地忍气饶人很有市侩哲学的味道，但是前面三句，说的还都是很有道理的。说的是什么道理？还是孔子“俭”的道理：万事都有一个度。好事过了头，就是坏事。世间很多坏事，都是做过了头的好事。孟子曾经讲过一句话：“仲尼不为已甚者。”（《孟子·离娄下》）就是孔子不去做过头的事，因为孔子知道，过犹不及。

◎以直报怨，以德报德

我们来看看下面的一章《论语》：

14.34　或曰："以德报怨，何如？"子曰："何以报德？以直报怨，以德报德。"（《论语·宪问》）

有一个人对孔子说："用恩惠来报答仇怨，如何呢？"这个人境界看起来很高啊。但是，孔子说："那用什么来报答恩惠呢？最好的办法是，用公平正直来对待仇怨，用恩惠来报答恩惠。"

我们来讨论一下这个问题。假如一个人做了坏事，我们提倡以德报怨，那么，另外一个人做了好事，我们应该怎样报答他？你也只能以德报德啊！

所以，当我们提倡以德报怨的时候，你会看到这样一个奇怪的结果：以德报怨和以德报德并存。你看，一个人，无论他是做好事，还是做坏事，他得到的社会或他人的报答都是一样的：德。这样的结果实际上就是打击好人做好事，而怂恿坏人做坏事。

一个人做坏事理当受惩罚，付出代价，这样才能让人不敢做坏事；一个人做了好事理当有好报，这样才会鼓励人们做好事。社会就应当形成这样的风气和大环境。以德报怨还会使道德自身很尴尬，道德自身被置于一个或有或无的危险境地。为什么呢？因为，正如上面分析的，以德报怨使得一个人做好事也好，做坏事也罢，结果都一样。那么，道德对人的约束力就没有了。当道德要求人们对坏人以德报怨的时候，道德自己首先就放弃了自己对不良行为的纠正职责。以德报怨这个命题更糟糕的地方还在哪里呢？在于它把

"道德"当作奖品，赠送给做坏事的人了。所以孔子实际上在提醒我们：道德一旦极端化，不仅会消解自身，甚至会助纣为虐。

所以，以德报怨，看似"道德"，实际上倒是助推了不道德的行为：使不道德的人可以肆无忌惮，不用担心承担什么后果。可见，提倡以德报怨不但不能提升人们的道德感，反而有碍社会整体的道德风气改善。所以，孔子就提出了"以直报怨"的观点，即用公正来对待仇怨。即使是坏人，他也应该得到公正的对待。既不特别地宽恕他，更不过分地报复他，让他得到他该得的。

"温、良、恭、俭、让"的孔子，他的"俭"，也包含着他坚决反对极端道德。讲到这个地方，我要说一下，极端道德有两种表现形式：一是要好人极端的好；二是对坏人极端的坏。要好人极端的好，好到对伤害他的坏人都要以德报怨，但这样做的结果是不道德的，我们这一讲已经作了说明。那么，对坏人极端的坏，又会怎么样呢？我们以后会接着再讲。

第四十一讲

学不学尾生高？

大家好，我是鲍鹏山，咱们一起接着读《论语》。

上一讲，我们讲到了一个观点：这个世界上，很多坏事，其实都是做过了头的好事。很多坏人，也是把好事做过了头的好人。做好人，做过了头，成了没有原则的烂好人，也就不是好人了。所以，虽然孔子并不反对一个人自觉自愿地去对某个伤害过自己的人不念旧恶，甚至以德报怨，但是，孔子反对在社会道德体系中提倡和鼓吹“以德报怨”。其实，他也是在警惕过分的道德标准，会让好人成为烂好人，成为牺牲品。而坏人，则在这种道德体系中获益。

所以，正如上一讲我最后说到的：要好人极端的好，结果是不道德。而一个人如果要求自己极端的好，就会成为一个烂好人。“烂好人”，这三个字的关键不在于“好”，而在于“烂”。

◎食言而肥

我在这儿先讲一个成语故事，故事的两个主人公鲁哀公和孟武伯都和孔子认识，并且《论语》里都记载了他们和孔子的对话。这个成语叫“食言而肥”。

《左传·哀公二十五年》记载：有一次鲁哀公宴请大夫季康子和孟武伯，当时鲁哀公有一个很宠幸的大臣郭重，当时他也在座，这个郭重曾经在鲁哀公的面前说过季康子和孟武伯的坏话，所以孟武伯就很厌恶郭重。这个时候孟武伯看郭重长得肥胖，就厌恶地问他：“你怎么长得这样肥胖啊？”

一个大夫，这样评价另一个大夫的身体，这在贵族那里，是不礼貌的，而且更重要的是，此时在座的季康子名字就叫季孙肥，现在当着他的面，说郭重长得肥，说出了这么一个“肥”字，就等于是把季孙肥的名忌给说出来了。所以季孙肥脸上也挂不住，就对鲁哀公说：“请你罚仲孙彘喝酒，他说话太失身份了！”

> 六月，公至自越。季康子、孟武伯逆于五梧。郭重仆，见二子，曰：“恶言多矣，君请尽之。”公宴于五梧，武伯为祝，恶郭重，曰：“何肥也！”季孙曰：“请饮彘也！以鲁国之密迩仇雠，臣是以不获从君，克免于大行。又谓重也肥？”公曰：“是食言多矣，能无肥乎？”饮酒不乐。公与大夫始有恶。

孟武伯他的名字也很好玩，叫仲孙彘，“彘”，就是“猪”，所以孟武伯和我以前讲过的汉武帝是同名。当着季孙肥的面，说出一个“肥”字，季孙肥生气了，于是，对着鲁哀公直接说：“你要罚仲孙彘一杯酒！”也把仲孙彘的名字说出来了。我们知道古人直呼其名是不礼貌的，所以我刚才说这叫名忌，就是说出名字是一种忌讳。

孟武伯讨厌郭重，但鲁哀公也很讨厌孟武伯，平时不敢惹孟武伯，因为三桓团结一起，鲁哀公根本就没有力量和他们对着干，现在看到孟武伯（仲孙彘）得罪了季康子（季孙肥），季孙肥一生气也站在自己这一边，要鲁哀公罚仲孙彘一杯酒，鲁哀公胆子就大了。因为这个孟武伯是一个经常说话不算话的人，鲁哀公对此也是一直耿耿于怀，平时也不敢说什么，那么此刻便借机讥刺他说：“是食言多矣，能无肥乎？”意思是，一个人如果食言多了，就一定会长得很肥啊。这家伙多次吃下自己许下的诺言，他怎么能不肥胖？

现在我们说的“食言”这个词，《左传》里也出现了很多次。并且，时间也都在这次鲁哀公说食言而肥这个成语之前，可见，这个有意思的词，在那时是大家的常用词。但是你有没有注意到，鲁哀公这样说话的时候，也得罪了季康子？因为，他也直接提到了这个“肥”字！

鲁哀公的这句话，让孟武伯名垂千古了。不过，鲁哀公也付出了很大的代价，他和三桓关系都搞僵了，最后被他们赶出鲁国，死在国外。鲁哀公鲁哀公，真是一个悲哀的鲁公。

这个鲁哀公曾经对孔子说过一句话：“寡人生于深宫之中，长于妇人之手，寡人未尝知哀也，未尝知忧也，未尝知劳也，未尝知惧

也，未尝知危也。”（《荀子·哀公》）

也就是说：“我身在深宫之中，身边都是女人啊，她们把我伺候得很好，所以我不曾知道什么叫哀伤，不知道什么叫忧愁，不知道什么叫劳苦，不知道什么叫惧怕，也不知道什么叫危险。”最终，当他在国外奄奄一息的时候，我想他该知道什么叫哀，什么叫忧，什么叫劳，什么叫惧，什么叫危了吧。其实，孔子这一辈子，还真没见过几个幸福的人啊。当然啦，这是题外的一句话。

我讲完了这个“食言而肥”的成语，会觉得，一个人，说话要算话，诺言要兑现。这当然没有问题。但是，正如我们前面说的，从“俭”的角度说，万事万物，一切原则性的东西，在面对具体的问题时，都要先检点一下，检查一下，检验一下。俭就是检，就是检验、检查、检点的检。

◎学不学尾生高？

我们来看孔子如何评价一个人，此人也是一个名人。但是，这个人就是太极端了，极端地信守承诺，结果却送了命。

这个人就是尾生高，《论语》里把他记成了微生高。《庄子·盗跖》中记载：“尾生与女子期于梁下，女子不来，水至不去，抱梁柱而死。”《史记·苏秦列传》里也讲到这个人：“信如尾生，与女子期于梁下，女子不来，水至不去，抱柱而死。”

“尾生高”的“尾”，在《庄子》和《史记》里都被记成“尾”，他是鲁国人，以直爽、守信著称。老实说，这个人还是很了不起的，

他坚持的其实是一种很古老的贵族风范。他与一女子相约在桥下见面，他先去了，女子没有按时来，尾生高一直在约会处等候。后来，约好的女子没来，不期而至的河水突然暴涨，淹没了桥下。尾生高认为，既然与女子有约在此，即使洪水到来，也不应该离开，洪水咆哮着来了，为了不被洪水冲离桥下，他死死抱住桥柱子，死守约定，终被淹死。你看，这就是极端的守信。

其实这个问题，我们在第二十三讲里已经讲过，言而有信是对的，“言必信”是错的。为什么呢？错就错在中间这个“必”字。一个“必”字，把一个好好的道德原则绝对化了，而一旦绝对化，真的是必生妖孽。

这个尾生高，女孩子约会没来，肯定有情况耽误了。即使后来来了，一看桥下都是水了，女孩子难道会潜水到下面去约会吗？所以这就是一个拘泥的人，太拘泥、太死板、太僵化，在第二十三讲，我就讲到这是“言必信”的后果。在这里，是不懂得“俭”，检点一下情况，沉着应对。俭，也就是不把事情做绝对，不把原则太极端。

这个尾生高，还不仅仅是这样极端的守信，他不知变通极端的地方多着呢。比如，他是一个好人，这当然好，但他极端地对人好，好到不自然了。

我们看看孔子在《论语》里对尾生高的批评。

5.24　子曰：“孰谓微生高直？或乞醯焉，乞诸其邻而与之。”（《论语·公冶长》）

醯（xī），就是醋。孔子说：“谁说微生高这个人直爽呀？有人向他讨点醋，他家里正好没有，但他不直言自己没有，却到他的邻居家里要了点醋再给别人。”

乍一看，尾生高这个人还真不错，自己没有，转向邻居家讨来给人，多好的人啊。但细一想，这就不对了：有就说有，没就说没，何必如此曲意去讨好别人？何必如此拖泥带水、小心翼翼？到邻居家去讨，这个人自己也可以去啊。你这样做是不是有意去做好人，让人家感谢你呢？所以，孔子说他不直爽。

那么孔子为什么要把这件事拿来和弟子们说道？孔子是要弟子们做人做事都自然一点。做人做事，不能太刻意，刻意会显得太有心机。也不能太曲意，曲意就会变得很烦琐。长期烦琐，人必委琐。人一委琐，便不足观。做人干净利索一点、洒脱一点、直率一点，是近乎君子的。做人当然要做好人，但是，做好人做到尾生高这样，是不是特别累？对别人好，别人有求于己，尽力帮助，这当然是对的。但是，对人好也要有分寸啊，也不要把自己搞得像尾生高这样累！

◎俭，就是中庸

我们再看下面曾子讲的这番话。

> 曾子曰：“狎甚则相简，庄甚则不亲。是故君子之狎足以交欢，其庄足以成礼。”孔子闻斯言也，曰：“二三子志之，孰谓参也不知礼乎？”（《孔子家语·好生》）

这个故事说有一天，曾子突然大发感慨，说："人与人相处啊，过分亲昵就会相互随便了，轻慢了；过分庄重，就没有亲切感而显得生分了。因此君子和别人亲切，足以快乐交往就行，不能过分地黏黏糊糊；君子要表示庄重，到足以合乎礼的程度就行，不可太一本正经拒人于千里之外。"孔子听到曾参同学的这句话，就对同学们说："同学们，都给我记住曾参的这句话！这话说得好啊！谁说曾参不知礼呢？"

为什么孔子说曾参知礼呢？就是因为曾参知道节制啊。我们常说中庸，其实，中庸也不复杂，也不神秘。做事情，想着节制，想着"俭"，就差不多了。

下节课，我会讲为什么不可以用极端的手段来履行道德。

第四十二讲　极端是恶

大家好，我是鲍鹏山，我们一起来接着读《论语》。

我们在上一讲讲到，一个人，极端地显示自己的好，就违背了“俭”的原则，结果就会不那么好，甚至是很不好。那么，一个好人对坏人极端地坏，又会怎么样呢？也不对。为什么？还是不符合“俭”的思想。俭，不就是凡事都有分寸。对人好要有分寸，对人不好也要有分寸。

◎ 极端是恶

还记得我们在第二十五讲讲到的为人不能过分热情吗？我讲到，一个人，没有对世界、对他人的热情，是不行的；但是，过分的热情也不行，这里还需要讲分寸的。

在第二十五讲，我们引述了《论语》中的这样两章：

4.26　子游曰："事君数，斯辱矣；朋友数，斯疏矣。"（《论语·里仁》）

子游说："事奉君主，如果过分热心，就会招致羞辱；对待朋友，如果过于迫切，就会反被疏远。"

12.23　子贡问友，子曰："忠告而善道之，不可则止，毋自辱焉。"（《论语·颜渊》）

子贡问交友之道。孔子说："给朋友忠诚的劝告和委婉恰当的开导，他不听，就算了，不要自找侮辱。"

凡事都要有度。对人好，也要有分寸。无微不至，不一定好。不仅对别人，就是对自己的子女，关心到无微不至，也会产生问题。

其实，人生在世，面对很多人，我们都有责任。但是，这些责任都是有限责任，而不是无限责任，不要越俎代庖。比如说，孔子有一句非常重要的话：

8.10　子曰："好勇疾贫，乱也。人而不仁，疾之已甚，乱也。"（《论语·泰伯》）

"人而不仁，疾之已甚，乱也。"对不仁的人，恨得太过分，就是祸乱。你说我们爱憎分明，嫉恶如仇，不是很好吗？很好，但是，如果爱憎分明得太过分，我们就有可能比坏人还坏。

我们在面对坏人坏事的时候，最容易产生道德上的优越感。有了这种道德上的优越感，就突然有了一种权力感：好像我们拥有了惩罚不道德者的权力。这个时候，就非常危险，因为，人一旦过度地使用这个权力，就有可能比对方还要坏，会惹出比一般不道德者制造的灾难更大的祸患。

孔子的这句话，其实也是在告诫我们：天下的很多祸乱，都是由绝对道德主义者惹出来的，或者说，是由我们把道德绝对化造成的。我们把道德绝对化，就会用绝对化的手段去惩戒那些不道德的人，而绝对化的手段本身即是不道德的。做一个比喻，用不道德的手段去推行道德，就如同抱薪救火。用不道德的手段去惩罚不道德，更是以暴易暴。

对不仁之人的极端仇恨和不择手段的报复，会把我们的道德变得恶劣，让我们变得比不仁之人更加不仁。所以，孔子反对用极端的手段对待不仁的人。

◎ 杀不杀公伯寮？

我们来讲一个孔子的故事。孔子有一个学生，叫公伯寮，他可能是孔子学生里最差的一个，后人直接把他称之为“圣门蟊螣”，意为孔子门下的害虫。

我们前面说过，鲁国的大权不在鲁国国君手上，而在号称三桓的三大家族手里，这三大家族是季孙氏、孟孙氏、叔孙氏。他们一边在国家里独揽大权，一边还苦心经营自己的封邑，把自己封邑的城墙建得比鲁国的都城曲阜的城墙还高，形成了严重威胁国家的割据态势。

孔子在51岁时出来做官，做到大司寇，相当于司法部部长，成了上大夫，而且，有一段时间他还成为鲁国执政大臣季桓子的助手。于是，孔子想利用这一机会，实现他一直的理想：增加国君的权力，削弱三桓的势力，对鲁国一百多年来把持大权的三桓进行约束，使鲁国的政治走上正常秩序。于是，他让弟子子路做了季桓子的家臣，也就是做季桓子主持的鲁国政务院的办公室主任，师生二人，开始了这一项鲁国的政治改革，这个政治改革最重要的一步，就是所谓的“隳三都”——把季孙氏、孟孙氏、叔孙氏这三家封邑高高的城墙给拆了。

但是，就在这个拆城墙的关键时刻，孔子的另一个学生，就是我们前面提到的公伯寮，竟然在季氏的身边说子路的坏话，最终导致子路丢了职务。公伯寮对隳三都的失败以及孔子的离鲁出走都负有相当大的责任。

鲁国有一个大夫叫子服景伯，他看到这些，很为孔子不平，就跑来对孔子说：“你的这个学生实在太不像话了，只要你点一点头，我就把他杀了，让他暴尸大街。”

我们来看一看，对这样的学生，孔子难道不恨他吗？不想让他受到一点惩罚吗？可是当子服景伯提出要把他杀了的时候，孔子是怎么说的呢？

孔子说：“我的道如果能够行得通，那是命；我的道行不通，那也是命。公伯寮能把我的命怎么样呢？与他没有关系啊。”这就是《论语》14.36这一章说的事。

14.36　公伯寮愬子路于季孙。子服景伯以告，曰：“夫子固有

惑志于公伯寮，吾力犹能肆诸市朝。”子曰：“道之将行也与，命也；道之将废也与，命也。公伯寮其如命何?”（《论语·宪问》）

孔子嘉许子服景伯的忠心，但断然不会听取他的杀人建议。这就叫是非的判断力。公伯寮确实不好，但是假如我们用杀掉他的方法来对待这样的人，我们就更不好了，因为如果用极端的手段——杀人的手法来清除异己，我们哪里会比对方好呢？为什么孔子反对用极端的手段来实现正义、维护道德？因为一切极端手段一定会隐含着对另一种价值的破坏。而且，极端手段所蕴含的破坏性往往指向更原始、更基本的价值。

◎ 曾参挨打

讲到不可以用极端的手段来履行道德，我们来看一个故事。孔子的学生曾参在瓜地里除草，一不小心把瓜苗的根锄断了。他的父亲曾皙大怒，操起一根大棒，狠狠地击打曾参的背。曾参倒在地上，昏死过去，很久才苏醒过来。醒来后，他马上高高兴兴地站起来，走到父亲的房里，对父亲说：“刚才我得罪了父亲大人，父亲大人用大棒来教育我。大棒那么重，父亲，你没累着吧？”

曾参回到自己的房子后，还拿起琴边弹边唱，想让他父亲知道，自己身体没事，好让父亲放心。曾子是不是特别孝顺？但是孔子听到这事是什么态度呢？孔子发怒了。孔子对其他的弟子们说：“今天曾参来时，不准他进来见我！”曾参去了，他的同学们告诉他，“老师今天很生气，不让你见他”，曾参就糊涂了。他很委屈：“老师不是教导

我们要孝顺吗？为什么我这样孝顺，他还生气呢？”

于是他就求人向孔子请求接见。他要问问老师这个道理。孔子最终还是见了他。孔子告诉他说：“你没有听到过吗？从前有一个人叫瞽瞍，他有一个儿子叫舜，舜在侍奉父亲，父亲要使唤他时，他总在身旁；父亲要杀掉他时，却总也找不到他。父亲用小棍子打他，他就忍受着；父亲用大棒子揍他，他马上就逃走。你以为他是怕死吗？你以为他是不孝吗？不是啊，正因为他这样，才保住了自己的性命。也正因为他保全了自己的性命，才使得他的父亲没有因为打死儿子而犯下不慈的罪过，而他自己也没有丧失那拳拳的孝心啊！可你呢？拿身体去承受父亲的雷霆之怒，打死也不躲避。你有没有想过，你一旦被打死了，不是让你的父亲陷于不义之地吗？还有比这更大的不孝吗？”一番话，说得曾参醍醐灌顶，冷汗津津。

曾子耘瓜，误斩其根。曾皙怒，建大杖以击其背。曾子仆地而不知人久之。有顷，乃苏，欣然而起，进于曾皙曰：“向也参得罪于大人，大人用力教参，得无疾乎？”退而就房，援琴而歌，欲令曾皙而闻之，知其体康也。孔子闻之而怒，告门弟子曰：“参来勿内。”曾参自以为无罪，使人请于孔子。

子曰：“汝不闻乎，昔瞽瞍有子曰舜，舜之事瞽瞍，欲使之，未尝不在于侧，索而杀之，未尝可得。小棰则待过，大杖则逃走，故瞽瞍不犯不父之罪，而舜不失烝烝之孝。今参事父，委身以待暴怒，殪而不避，既身死而陷父于不义，

其不孝孰大焉？汝非天子之民也，杀天子之民，其罪奚若？”曾参闻之曰：“参罪大矣。”遂造孔子而谢过。（《孔子家语·六本》）

我们知道，孝顺孝顺，孝就要顺。哪怕父母不对，子女的首先选择也还是顺。

4.18 子曰：“事父母几谏，见志不从，又敬不违，劳而不怨。”（《论语·里仁》）

孔子说：“侍奉父母，假如他们有什么不对的地方，你得委婉地劝说。看到自己的意愿没有被父母听从，仍然要恭恭敬敬，不违背他们，辛劳也不怨恨。”

这是在讲两害相权取其轻，父母有过错，这是一害，我们要劝谏。但是假如劝谏太直接、太冲撞，就有损于孝道。所以要委婉，这就叫“几谏”。假如父母不听劝告，我们因之失望、生气，甚至和父母对着干，就更损于孝道，这又是一害。两害相权，前者轻而后者重：还有什么比损害了父母子女关系更大的危害吗？所以，当我们劝父母，父母不听的时候怎么样？我们还得要顺从父母。

但是，当父母的过错大到像瞽叟要害死舜一样，舜会束手就死吗？他还会顺从吗？不，他会逃丌，而绝不是顺从。盛怒之下，失去理智的父亲要打死你，这已经严重地背离了父子之礼，这时候，你要做的，就是赶紧跑开。孔子曾经对颜回说了四个“勿”字，“非礼勿视，非礼勿听，非礼勿言，非礼勿动”。我讲到这里要加一句：非礼勿受。哪怕这个“非礼”来自父母，也要躲开而不是顺受。孝顺的顺，也是有分寸的！

我们今天就讲到这里。下节课，我会讲“礼节”这两个字的奥妙。

第四十三讲 给他一张琴

大家好，我是鲍鹏山，我们一起接着读《论语》。

上一讲，我们讲到曾参孝顺的故事。曾参当然是大孝子，但是，他极端孝顺的做法，却被孔子严厉批评，差点被孔子开除，逐出师门。

孔子不是一再说要子女孝顺父母不要有违背吗？其实，我们在前面第九讲里，就讲到，孝顺父母，最重要的是不违礼：“生，事之以礼；死，葬之以礼，祭之以礼。”这是《论语》2. 5 里讲到的。所以，曾参梗着脖子，让父亲用大棒子击打他，看起来是不违父亲，其实是违了礼。非礼之施，哪怕来自父母，子女也不能接受。所以，我在上一讲里说到，孔子对颜回说了四个“勿”字，“非礼勿视，非礼勿听，非礼勿言，非礼勿动”。我要加一句：非礼勿受。变成五个

“勿”字。

◎ 哀而不伤

说到“生，事之以礼”，不妨再说说“死，葬之以礼，祭之以礼”。我们来看看《孝经》上孔子怎么说孝子对待父母之丧。《孝经·丧亲》这一篇里面有这样的一段话：

> 子曰：“孝子之丧亲也，哭不偯，礼无容，言不文，服美不安，闻乐不乐，食旨不甘，此哀戚之情也。三日而食，教民无以死伤生。毁不灭性，此圣人之政也。丧不过三年，示民有终也。”

这一段话的意思，孔子说：“孝子丧失了父母，按照礼的规定，要哭得声嘶力竭，举止行为失去了平时的端正礼仪，言语都没有了条理文采，穿上华美的衣服就心中不安，听到美妙的音乐也不快乐，吃美味的食物不觉得好吃，这是做子女的因失去亲人而悲伤忧愁的表现。但是，接下来，孔子就说：父母之丧，三天之后就一定要吃东西，这是教导人民不要因失去亲人而损伤身体，不要因过度的哀伤而伤害身体，这就是圣贤的为政之道。为亲人守丧也不要超过三年，为什么呢？这是告诉人们居丧是有其期限的。”

我们再来看孔子如何教育自己的儿子孔鲤（字伯鱼）。孔鲤的母亲去世了，孔鲤守丧。孔鲤对母亲感情特别深，守丧期过了，他还在那儿哭。

有一天孔子听到有人在哭，就问："谁在哭啊?"别人告诉他："是伯鱼在哭，他在哭他的母亲呢。"孔子就说："太过分了，没必要了，三年的丧期不是已经过了，他应该回归正常生活了，他还这么天天哭哭啼啼的，怎么回事啊?"伯鱼听到父亲说这样的话，就不再哭了。所以，即使对于母亲的哀悼之情也要适可而止。这就叫哀而不伤啊。

伯鱼之丧母也，期而犹哭。

夫子闻之曰："谁也?"

门人曰："鲤也。"

孔子曰："嘻！其甚也，非礼也。"

伯鱼闻之，遂除之。(《孔子家语·曲礼·子贡问》)

孔子的学生子路也碰到过这样的情况，子路的姐姐去世了，丧期已经过去很久了，子路还把丧服穿在身上。孔子就告诉他："你可以把丧服脱下来了，应该回归正常生活了。"

子路说："老师啊，我的兄弟姐妹少，姐姐死了，我很伤心，虽然丧期已经过去了，但是我还是不忍心脱下丧服啊。"

孔子说："你这样不好。你说你兄弟姐妹少，不忍心。兄弟姐妹多的，就忍心吗？人情都是如此，你说谁对自己姐姐的去世会忍心忘记呢？但是做事要有分寸。"

子路有姊之丧，可以除之矣，而弗除。孔子曰："何不除也?"子路曰："吾寡兄弟而弗忍也。"孔子曰："行道之

人皆弗忍。先王制礼，过之者俯而就之，不至者企而及之。”子路闻之，遂除之。（《孔子家语·曲礼·子贡问》）

接着，孔子就告诉子路一个原则：

孔子说：先王制礼，过之者俯而就之，不至者企而及之。（《孔子家语·曲礼·子贡问》）

这句话讲得真是太精彩了！“过之者俯而就之，不至者企而及之”——说出了道德标准的确立原则。道德的标准太高，一般人做不到，道德就会失效。道德的标准太低，很差的人都像道德模范，道德就显得可笑。

显然，先王的礼，不是按最高标准制定的，也不是按最低的标准制定的，而是按中间的标准来制定的。境界高的人，俯就一些，境界低的人，努力一点。这就是先王的中庸之道。实际上，“俭”就是中庸之道的一个体现。

◎给他一张琴

还有这样一个故事，主人公是孔子的另外的两个学生，子夏和闵子骞。子夏守完了三年的丧礼，前来拜见孔子，孔子说：“给他一把琴。”同学们就把一把琴放在了子夏的面前。子夏边弹边唱，神情安详而又快乐，唱完了站起来说：“先王制作的礼乐，我不敢不遵循啊。”孔子表扬他：“真是一个君子啊。”

闵子骞也守完了三年的丧礼，来拜见孔子，孔子说：“给他一把琴。”同学们也把一把琴放在了闵子骞的旁边。闵子骞也是边弹边唱，却悲伤得很，唱完站起来说：“先王制作的礼乐，我不敢超越它啊。”孔子也称赞他说：“真是一个君子啊。”

子贡听了就疑惑不解，向孔子请教说：“老师啊，闵子骞的哀思还没有完，您说他是君子；前面的子夏，三年丧期结束以后，哀思已尽，您也说他是君子。两人感情不同，而您却都称赞他们是君子，我很疑惑，请问老师这是什么道理呢？”

孔子说：“闵子骞三年丧期结束，但是还没有忘记悲哀，可是他能通过弹琴按照礼乐来截断哀思，疏解哀思，这难道不是君子的修为吗？子夏三年丧期已尽，哀思也尽了，但他能够通过弹琴把自己的生活引导到礼乐上来，这不也是很了不起吗？你看这两个人，无论心中仍然悲伤或已经是云淡风轻，都能在礼乐之中得到安抚，我把他们都称为有修养的君子，不可以的吗？”

子夏三年之丧毕，见于孔子。子曰：“与之琴，使之弦。”侃侃而乐，作而曰：“先王制礼，不敢不及。”子曰：“君子也。”

闵子三年之丧毕，见于孔子。子曰：“与之琴，使之弦。”切切而悲，作而曰：“先王制礼，弗敢过也。”子曰：“君子也。”子贡曰：“闵子哀未尽。夫子曰：‘君子也。’子夏哀已尽，又曰：‘君子也。’二者殊情而俱曰君子，赐也或，敢问之。”孔子曰：“闵子哀未忘，能断之以礼；子夏哀已尽，能引之及礼。虽均之君子，不亦可乎。”（《孔

子家语·六本》）

这个故事，其实最有意思的还不是子贡的疑惑不解，我觉得这个故事里，有意思的是为什么孔子都给他们一把琴。三年丧期结束了，重新回到老师身边，为什么孔老师做的第一件事和说的第一句话，都是“给他一把琴，让他弹一弹”？

孔子深知父母之丧对人的打击，他还知道，三年的丧期给人的煎熬。这时候，三年之丧结束了，守丧三年的子夏和闵子骞，最需要的不就是一把琴？不就是在悠扬的琴声中，抖落一身的悲伤，重回正常的生活吗？还有什么比让他自己抚琴一曲，更能抚平他们内心的伤痛，更能酬答他们三年的煎熬呢？

我能真切感受到，孔子在“给他一把琴”的指令里的那种慈悲。我甚至感受到了这一句话里，这个声音里的阳光。不，这一声“给他一把琴”，就是一束阳光，一下子洒满子夏和闵子骞的全身，驱散了他们身上三年的阴霾，让他们瞬间沐浴在阳光和温暖之中！他们，就在这一声“给他一把琴”中被治愈了！

汉语有一个词，叫礼节，来自《论语》。

1.12　有子曰：“礼之用，和为贵，先王之道斯为美；小大由之。有所不行：知和而和，不以礼节之，亦不可行也。”（《论语·学而》）

孔子的学生有子说：“礼的运用，贵在能和，先王的治国之道里，这一点是很好的；无论大事小事都要以和的原则来做。但是也有行不通的地方：只知道一味地和气，不用礼来节制，那也就行不通了。”

礼的目标，就是促进社会和谐。让人人各安其分，各得其所。但礼是有原则的，或者更确切地说，礼就是原则，是社会和谐的原则，是有原则的社会和谐。礼是和谐，必须坚持原则。坚持原则，才能和谐。所以，礼的作用，是什么呢？是“节”，礼节礼节，以礼节制行为，节制情绪。行为受礼节制，方才有原则；情绪受礼的节制，才能不泛滥。

礼节礼节，礼的功能就是节。可是，还有一个词：节俭。什么意思？汉语有意思吧，礼的后面是节，于是就有了一个词，叫礼节。节的后面是俭，于是又有了另外一个词，叫节俭！有礼，我们的行为就有节。有节，我们的人生就会俭！

今天我们就讲到这里。下节课，我会讲一个关于“变态的孝顺”的故事。

第四十四讲 极端的孝

大家好，我是鲍鹏山，我们一起接着读《论语》。

上一讲，我们讲到了孝顺父母，也要有所节制，也要符合“俭”的原则。我们讲到了关于曾参同学、子路同学、子夏同学，还有闵子骞同学孝顺的故事。我们发现了一个共同现象：这些同学都很孝顺，但是，又都很有分寸。他们都是孔子教导出来的啊。

◎ 极端的孝

我们看孔子的这些故事，便知道，后来《二十四孝图》中的那些极端的孝道，像王祥卧冰求鲤、郭巨埋儿奉母、庾黔娄尝粪忧心等等，一定为孔子所反对。因为孔子坚决反对用极端的手段去实行道德。比如说王祥卧冰求鲤，说的是王祥的继母对王祥一直非常不好，但王祥一直对继母很好，这个我们要鼓励，要表扬。但是在寒冷的冬天，王祥的继母突然想吃鲤鱼，可是水面上结了厚厚的冰，哪里能打上鱼呢？王祥就脱光了衣报，自己躺在冰上，想用体温把冰融化，然后捉鱼。但是，你想想，如果只是想把冰弄开，有很多更好、更有效的方法，而且还不伤害身体，比如用柴火烤行不行啊？用铁镐等工具凿冰行不行啊？可是你把自己脱光了，躺在冰上，能把冰融化吗？大家谁愿意试一试？结果肯定是把自己冻到冰上，也不可能把冰融化。所以，王祥的这种行为，不是弱智，就是作伪，故意用这样的方法沽名钓誉。过分的极端的道德行为，一般都是做作、作伪，而做出这种行为的人，也基本上都是伪君子。

但是王祥的这种行为上了《二十四孝图》，并且一代一代地往下传。我敢说，这绝不是孔子赞成的。把孝顺父母这样美好的事情、温馨的事情，搞得这样恐怖和冷酷。

还有比这个更变态的，是郭巨奉母埋儿。郭巨两口子生了一个儿子，家里还有一个老母亲，一家四口人。粮食不够吃了，郭巨就跟老婆商量，儿子我们以后可以再生，母亲我们要给她养老，可是这个儿子总是天天在家吃粮食，多一口人怎么办？埋了吧。于是老婆抱着孩子等着，郭巨就在旁边挖坑，孩子手里还拿着摇咕咚，高高兴兴地笑着，他根本不知道父母亲要干什么。这样的画面，不是心地残忍、毫无人性之人，怎么能画得出来！

其实，现在已经有很多的学者考证了，这个郭巨，其实是要用这种变态的令人恐怖的做法来实现自己独占父母财产的目的。他把父母的财产——一罐子黄金埋在地下，然后假装埋儿，挖出罐子，而且这一罐黄金里面竟然还有这样一张纸条，纸条是这么写的："天赐孝子郭巨，官不得取，民不得夺。"

这不分明是告诉官方和自己的兄弟（郭巨是有两个弟弟的），这财产不是父母财产，是上天专门赐给郭巨的，谁都不能来抢，谁都无权要求分割！

讲到这里，大家会说：这个郭巨，原来这么坏啊。其实，如果他真是为了独占财产而自导自演这一幕剧，我倒觉得他的形象变好了。因为，这样的郭巨，只是一个伪君子，一个贪财的小人。他至少不是真的准备把儿子给活埋了。而如果不是这样，他就是为了所谓的供养母亲而活埋儿子，这样的人，是多么令人恐惧！

后来鲁迅先生写了一篇文章，题目就叫《二十四孝图》。鲁迅的文章这么写的：

> 我请人讲完了二十四个故事之后，才知道"孝"有如此之难，对于先前痴心妄想，想做孝子的计划，完全绝望了。
>
> ……我幼小时候实未尝蓄意忤逆，对于父母，倒是极愿意孝顺的。不过年幼无知，只用了私见来解释"孝顺"的做法，以为无非是"听话""从命"，以及长大之后，给年老的父母好好地吃饭罢了。自从得了这一本孝子的教科书以后，才知道并不然，而且还要难到几十几百倍……
>
> 我最初实在替这孩子捏一把汗，待到掘出黄金一釜，这才觉得轻松。然而我已经不但自己不敢再想做孝子，并且怕

> 我父亲去做孝子了。家景正在坏下去，常听到父母愁柴米；祖母又老了，倘使我的父亲竟学了郭巨，那么，该埋的不正是我么？如果一丝不走样，也掘出一釜黄金来，那自然是如天之福，但是，那时我虽然年纪小，似乎也明白天下未必有这样的巧事。

这是鲁迅写的一段话。《二十四孝图》里，除此之外，还有什么老莱子娱亲、庾黔娄尝粪忧心，这些故事，都挺恶心的，不说也罢。《二十四孝图》中，与孔子弟子有关的就有三位：子路百里负米、曾参啮齿痛心、闵损芦衣顺母，这都不算过分。过分的孔子绝不会支持。

我们来看看这三个人的故事。子路原来家里很穷，自己吃糠咽菜，但是跑一百多里以外背米给父母吃，很温暖，不过分。曾参出了家门，家里来人要找他，那时候没有手机，为了把儿子叫回来，母亲着急，咬了一下自己的手指头，曾参心灵感应到了，就赶紧赶回来了。母子之间有心灵感应，哪怕这个不合乎科学，但是这个故事也挺温暖，也挺好，没有过分的地方。

闵子骞的母亲去世以后，他父亲又给他娶了一个继母，继母又生了两个孩子，一家三个孩子，家境比较贫寒。他的继母给自己的两个孩子穿的是棉衣，给闵子骞穿的衣服里面却是芦花。芦花不御寒啊，闵子骞冻得瑟瑟发抖，他的父亲发现真相以后，想赶走这个继母，闵子骞说："不行啊，爸爸，您把这个母亲赶走了，三个儿子都要受苦，这个母亲在，最多是一个儿子受苦。"继母被闵子骞感动了，从此对

待他就像对待自己亲生的孩子一样。这个故事也很温馨啊。

所以我们说，孔子不是极端的道德主义者，极端的道德主义者就是道德的原教旨主义者，他们往往由出发点的道德蜕化为终点的不道德。甚至，一些奸诈之徒正是通过宣传极端道德蛊惑人心，以达到他们自己的极端不道德的目的。

◎可以要回报

我们讲了《二十四孝图》，讲了几个恐怖压抑的故事，我们现在来讲两个好玩一点的故事。

《吕氏春秋·察微》上记载了这么两个故事。一件是，鲁国有一条规定，鲁国人在国外沦为奴隶，如果有人碰见了，把他们赎出来，可以到鲁国的国库中去报销赎金。这是一条很好的政策，很人道。

孔子的弟子子贡（端木赐）在国外就赎回了一个鲁国人，可是他回国后却拒绝去国库报销他花费的赎金。他认为："我做好事，不想去报销这笔赎金，我又是孔子的学生，我要体现出更高的道德水平和道德风范。"可是孔子不这么看。他对子贡说："赐呀，你采取的不是好办法。从今以后，就不会再有人替沦为奴隶的鲁国人赎身了。你如果收下国家的补偿金，并不会损害你行为的价值；但是假如你不肯拿回你抵付的钱，别人以后就不肯再赎人了。"

> 鲁国之法，鲁人为臣妾于诸侯，有能赎之者，取金于府。子贡赎鲁人于诸侯，来而让不取其金。孔子曰："赐失

之矣。自今以往，鲁人不赎人矣。取其金则无损于行，不取其金则不复赎人矣。”

为什么呢？我们想一想，作为一个人，子贡愿意放弃赎金，这是他的自由，无可厚非，更何况他还以此显示了他的高尚。但他的这个做法置别人于尴尬的境地。向他学习，把人赎回来也不去报销赎金，就意味着自己要做出牺牲；不向他学习，去报销赎金，就显得没有子贡的境界高。

我们知道，子贡是一个很有钱的人，他可以不在乎这些赎金。但其他人未必不在乎。报销赎金就显得没有子贡境界高，不报销赎金自己要受到巨大的经济损失，怎么办呢？最后就只有一个办法，索性不去救人，这样就可以避开这种尴尬的局面。

子贡看起来非常道德的行为，结果是什么？鲁国这么人道的赎人的法令最终成了一纸空文，那些在外国成为奴隶的人就失去了被救赎的机会。

我们再看另一件事。子路有一天救起一名落水者，那人为了表示感激就送了一头牛给他。子路大大咧咧的，收下了。

孔子听到了以后说：“仲由做得对啊。鲁国以后就会有越来越多的人勇于搭救别人了。”

子路拯溺者，其人拜之以牛，子路受之。孔子曰：“鲁人必拯溺者矣。”

大家如果明白了子贡的做法错在哪里，就自然明白子路的做法对在哪里了。我们乐于做好事，尤其乐于做惠而不费的好事；我们乐于做好事，并且觉得做了好事应该不求报答，这当然也很好。但是，如果一个社会，对做好事的人给予适当的报答或表扬，可以是金钱和财物，也可以是精神上的奖励，这不是可以促成更多的人做好事吗？还记得我们在第四十讲里讲到的以德报怨吗？做坏事如果没有报应，其实是鼓励人去做坏事。做好事如果没有报答，其实是压制人做好事的愿望。

我们这一讲就讲到这里。下节课，我会讲为什么愿意吃亏的人才是君子。

第四十五讲

何为君子？

大家好，我是鲍鹏山，我们一起接着读《论语》。

上一讲，我们讲了《二十四孝图》中的几个故事，我说，《二十四孝图》中的那些关于孝顺的故事里，有一些实在是令人恐惧。但如果要追溯其动机和源头，其实也就是想劝别人孝顺。可是为什么最后变得如此变态？很简单，把好事提倡过头了，走极端了，不符合“俭”的原则了。

我们来看看孔子如何评价《诗经》中的一首诗：

3.20　子曰：“《关雎》乐而不淫，哀而不伤。”（《论语·八佾》）

孔子说：“《关雎》这篇诗，快乐时不放荡；悲哀时不受伤。”《关雎》是整部《诗经》中的第一首诗，是奠定《诗经》基调的一首诗。孔子这样评价这首诗，其实，是在表明他的中庸的观念。快乐时有节制，就不放荡；悲哀时有节制，就不伤身。体现的还是一个“俭”的原则。孔子这里说的“乐而不淫，哀而不伤”，再加上《国语·周语》中邵公说的“怨而不怒”，就构成了中国人性格中温和中庸、温柔敦厚的底色。

◎什么是足恭

我们再回头看看“温、良、恭、俭、让”，这个“俭”字放在恭的后面，很有意思。我们前面说到“恭”不仅仅是一种态度，更是一种气质。《论语》里，孔子十二次讲到“恭”字，他自己是“温、良、恭、俭、让”，他教他的弟子子张如何才能够走遍天下都不怕呢？必须要做到“恭、宽、信、敏、惠”。但是，他也特别警惕“恭而无礼”，要求人们“恭而有礼”，“恭近于礼”。什么叫“恭而无礼”呢？就是没有礼的节制啊。没有礼的节制的“恭”，孔子给它一个说法，叫“足恭”。什么叫“足恭”？就是过分的恭，超过了它应有的度，没有了俭的恭。孔子的“温、良、恭、俭、让”，在恭的后面马上加一个“俭”，就是提醒我们：不要足恭！

我们来看一看孔子提到“足恭”的这一章。

5.25　子曰：“巧言、令色、足恭，左丘明耻之，丘亦耻之。匿怨而友其人，左丘明耻之，丘亦耻之。”（《论语·公冶长》）

孔子说：“甜蜜的话语、奉承讨好的脸色、过分矫情的恭敬，左丘明以之为耻，我孔丘也以之为耻。藏起来我对他的怨恨，假装与他友善要好，左丘明以之为耻，我孔丘也以之为耻。”

这个地方提到的左丘明我稍微说一下，左丘明是春秋时鲁国人，担任过鲁国的太史（朝廷史官），据说《左传》就是他所作，甚至也有人说他就是孔子的学生。

那么我们现在回头看，“巧言、令色，足恭”，这三种行为，为什么孔子反对？因为，这三种行为都是为了讨好别人，为了讨好别人，说花言巧语，自己胁肩谄笑，满脸谄媚，低眉顺眼，这是人格的萎缩，是自我的矮化。足恭，过分的恭，就会让自己人格矮化。

当然，更常见的是过分的恭，往往隐藏着过分的私欲。我举一个例子。对老师很恭敬很好，你在大街上碰到老师了，赶紧走上前去，跟老师问个好，这就叫恭。你甚至恭敬地站在马路的边上，侧着身等老师走过去，或者等老师过来跟你握个手，然后你向他鞠个躬，非常好，这都叫恭。

那么，过分的恭是什么意思呢？比如说在马路上，或者一个公开的场合，你看到老师了，走上前去，在老师毫无防备的情况下，你扑通一声跪到地下，向他磕头，这就叫足恭。

给老师可以叩头吗？当然可以，但一定是在一个特定的场合，一个有仪式感的场合，一个老师有所准备的场合。在老师措手不及的时候，当着很多人的面你如果这么做，老师会非常尴尬，而你呢？就有做作的嫌疑，有绑架老师的嫌疑，还有炫耀和卖弄自己的嫌疑。这就不仅仅是足恭了，很可能还是一种品行上的丑陋了。

所以，在恭的后面加一个俭，是什么意思呢？就是恭也得要有分寸。即使是跟别人讲礼貌，讲礼节，也得要有自尊，不能让自己低到尘埃里。低到尘埃里的尊敬是没有价值的——因为你自己都如同尘埃了，谁在乎尘埃对他的恭敬？

我前面讲过，礼的本质是“自卑而尊人”，但要注意啊，这里的“自卑”的含义和我们今天讲的“自卑”的意思不一样，不是自己觉得自己事事不如人，从而直不起腰来，而是在足够自信的情况下，在平等待人、平等待己的情况下，为了对别人表示恭敬，主动把自己放低一点。但把自己放低一点，不是低三下四。它只是一种谦恭，是一种自抑，不是自卑到泥土中去。所以，自卑而尊人，这个自卑前面还要加一个自尊，这就叫俭。

◎人类的文明

我们讲“温、良、恭、俭、让”，到此，我们终于讲到了最后一个字：“让”。让，是谦让。这个社会总有竞夺，而竞夺总不能以力量大为胜算的唯一标准，总不能以一切据为己有为唯一的目标，如果这样人类社会就变成丛林，变得弱肉强食了。所以，人一定要学会“让”，人类学会“让”了，人类的文明曙光就出现了。

我在前面讲“温”的时候，就讲到了“温”实际上是一种很好的分寸感。留三分地给别人种，留三分利给别人赚，留三分道理给别人讲，还要留三分事业让别人做，你不要把有利的事儿都做尽了，也得留点事情让别人做。

这个“留”，其实就是“让”：把自己可以占有的有利的事，让出来。我曾经读过一篇小说，我忘了是谁写的了。它写了这么一个故事，小镇上有两个画家，其中一个人很厉害，花鸟虫鱼、山水人物，样样精通，但是，他就有一点不足，不会画牡丹。而另外一个画家，名声画艺都比不上对方，花鸟虫鱼、山水人物都画得不好，但是他偏偏擅长画牡丹。于是，两个画家在一个小镇上相安无事，你画你的花鸟虫鱼，我画我的牡丹。小镇上的人要找人画花鸟虫鱼，画人物山水，就去找第一个画家，所以，第一个画家的生意很好，并且广受尊敬；人们要画牡丹，就去找第二个画家，于是第二个画家的收入也颇为可观，并且也很有地位，自我感觉也很好。就这样，很多年过去了。

后来，第一个画家去世了，人们都去吊唁，第二个画家也去了。在第一个画家的家里，人们在收拾他的遗作，突然发现，在他的那些画稿里，有很多很多的牡丹图，而且画得极其精美，水准极高。人们都呆住了：他不是不会画牡丹吗？善画牡丹的画家，突然之间明白了什么，对着死者的遗像，跪地高呼兄长，长拜不起，热泪长流！

这部小说大家看明白了吗？

我再讲一个文学作品。在元代，有一首散曲叫《醉太平·讥贪小利者》，讽刺分毫必争，对蝇头小利绝不松手的人，很有意思，我们来分享一下：

> 夺泥燕口，削铁针头，刮金佛面细搜求：无中觅有。鹌鹑嗉里寻豌豆，鹭鸶腿上劈精肉，蚊子腹内刳脂油。亏老先生下手！

什么意思呢？就是从燕子的口中夺泥，在针头上削铁屑，在庙里菩萨塑像的脸上细细地刮金：简直就是在没有中找有。从鹌鹑的嗉囊里找豌豆，从鹭鸶的腿上劈些精肉，从蚊子的肚子里刮取一些脂油。真亏得你老先生能下得去手！

我们读了这首讽刺一丝一毫都要据为己有的人的散曲，再来看几个关于谦让的故事吧。

◎九尺巷

在周文王的时代，周文王仁孝治国，国家敬老慈少，礼贤下士。诸侯们都来请他主持公道。当时有两个小国，一个叫虞国，一个叫芮国，两个国家有矛盾，老是争田夺地。两国自己也解决不好这个矛盾，最后两国的国君就相约去周文王那里评个公道。可是到了周以后，他们看到周国人相互谦让，长幼有礼，一下子非常惭愧，说道："我们两个人争来争去，这是周国人引以为耻的事情，我们两个人为什么还要去呢？我们去了不是自取其辱吗？"于是他们就各自回了自己的国家，并且互相谦让解决了纷争。这个故事记载在《史记·周本纪》中。

西伯阴行善，诸侯皆来决平。于是虞、芮之人有狱不能决，乃如周。入界，耕者皆让畔，民俗皆让长。虞、芮之人未见西伯，皆惭，相谓曰："吾所争，周人所耻，何往为，只取辱耳。"遂还，俱让而去。诸侯闻之，曰："西伯盖受命之君。"（《史记·周本纪》）

实际上，中国古代，这些谦让的故事还有很多，其中有一个流传甚广的“三尺巷”或“六尺巷”，甚至“九尺巷”的故事。这些故事的版本很多，我查了一下，安徽有，山东有，江苏有，河南也有，为什么有这么多版本呢？因为整个中国，我们的传统就是讲谦让，所以全中国都有这样的故事，也说明这个事能感动人。我是安徽人，我就说一个安徽版本的，在安徽这样的故事也有两个版本，我就说一个离我家最近的。

安徽寿县有一个贤良街，在古镇正阳关。这条街与咸丰年间的正阳名人余福九有关。余福九在京城做官，他家与邻居周铁匠同时拆旧房盖新屋，两家都想向中间的过道扩展。如此一来，过道就没有了。双方僵持，谁也不准谁动工。余家的人一想啊，我家里在京城有人啊，我还怕你吗？就派人进京送信给余福九，要他出面干涉，逼迫周家让步。余福九接到这封信以后，就写了一封回信，交给来人带回，并说：“回家再看，妙计尽在其中。”信带回来了，余家的人拆信一看，但见纸上书诗一首：

千里传书为堵墙，让他三尺又何妨？

万里长城今尚在，不见当年秦始皇！

最后，两户人家都被余福九的高风亮节感动，各自退让三尺，原来的三尺巷就变成九尺巷了。从此，正阳关百姓就将此巷称之为“贤良街”。

现在，我们很多人都说，人要有竞争意识。但是，这个竞争，与争权夺利的争还真的不是一个意思。竞争意识，是说我们要努力上进，自强不息，你追我赶，创造欣欣向荣的社会。这样的争，即使有人与人之间的竞争，也是规则之下的君子之争，如同体育比赛，彼此不是敌人，而是比拼自己的实力，最终争的是公平，而不是私利！

《论语》是一本关于君子之道的书。其中“君子”一词，在《论语》里出现了107次，与“君子”对照的“小人”出现了24次，并且其中君子和小人放到一起对照着说的，就有19次。到底什么样的人才叫“君子”，什么样的人才叫“小人”？孔子讲了很多，但是我不说孔子是怎么说的，我来讲一讲弘一法师李叔同是怎么说的。李叔同先生的一个说法真的好，李叔同先生说：

“我不知何为君子，凡事肯吃亏者便是。我不知何谓小人，凡是好便宜者便是。”

最后，我给你们留一个思考题：在生活中你愿意吃亏吗？如果吃了亏你是很生气，还是坦然接受呢？

第四十六讲 人性中要加入狼性吗？

大家好，我是鲍鹏山，我们一起接着读《论语》。

在上一讲，我讲了“温、良、恭、俭、让”的最后一个字：让。为什么要强调让？大家要知道，这个世界，人与人之间总有竞夺，总有竞争。但是，人类世界总不能像动物世界那样竞夺，人类社会总不能是丛林法则，所以，我们一定要树立一个“让”的原则。动物不知道让，让是人类的标志。

荀子在讲礼的本质的时候，讲过这么一段话，大意是这样的：这个世界的资源是有限的，而人的欲望是无限的。那么如何能够调节人无限的欲望和有限资源之间的不平衡呢？是强有力者去抢，弱小者被抢吗？这个世界还有意思吗？所以，需要一个规则来规范，这个规则就是礼。这个礼的原则之一，就是我们每个人都能让出一部分，让出一部分权利，让出一部分利益，大家分享。

在公共交通工具上，如果有两个人，可是只有一个座位，怎么办？总不能说我们就去争抢，抢到了就是我的吧？这样世界多野蛮啊。所以，还得让。

没有让这个基本原则，只有争，争到最后还一定要争到自己的手里才算，那么到最后，也许我们争到了一些利益，但我们丢掉了人性，把世界弄得一团糟了，世界没了文明，没了爱，没有了互相的礼让与关心。到那时，统治这个世界的，就不再是文明规范，而是野蛮了。所以，别小看了这个让字。让字出现了，人类的文明就出现了，让字消失了，人类的文明也就消失了。

◎ 皇侃释义

“温、良、恭、俭、让”五个字，我们到此都讲完了，现在我们做一个总结，南朝梁代有一个儒家学者、经学家，叫皇侃。皇侃解释过“温、良、恭、俭、让”这五个字，他说：

> 敦美润泽谓之温，行不犯物谓之良，和从不逆谓之恭，去奢从约谓之俭，推人后己谓之让。

我稍微解释一下。“敦美润泽”，一个人本性敦厚、善良，然后滋养万物，这个叫温。“行不犯物谓之良”，是我们的行为不去触犯万物，对万物抱有仁爱之心，不伤害它，而是要好好地维护它，这就叫良。“和从不逆谓之恭”，意思是和别人、和世界和睦相处，能够顺从对方的时候就顺从对方，不要跟别人反着来，不逆着来，不对着干，这就叫恭。“去奢从约谓之俭”，意思是戒除我们生活中的那些奢靡的坏毛病，节约资源，节制欲望，这就叫俭。“推人后己谓之让”，比如就一个座位怎么办？你去坐，我站着，这就叫推人后己。只有一个馒头了，我们两个都想吃怎么办？每人一半。注意啊，每人一半的关键不是分，而是让，是让出来的结果。如果没有让的观念，一个馒头，两人中拳头硬的一定全吃了，弱者拿不到一半的。甚至，还有一种办法是什么？我不饿，你先吃吧。这更是让。推人后己，这个叫“让”。这是皇侃的解释，非常简约，而又能抓住本质。

皇侃对俭的解释有点狭隘了，我前面好几讲都讲俭，我的意思是，俭就是节制，有分寸，不仅仅是生活中的不浪费、不奢靡，其他解释都很好。

那么，我们为什么要强调推人后己，为什么要强调去奢从约，为什么要讲究和从不逆，为什么行为上要行不犯物，为什么我们的本性上要敦美润泽？不为什么，因为只有这样才叫文明。我做了很多年的老师，经常会碰到这样的一些家长，他们说，中国的教育，把孩子教育得太谦让了，胆子小了，没有竞争的本性和意识了。

◎谦卑的人更强大

讲到这儿，我要说一下，前几年有一本书很畅销，版权卖到国外去了。这本书的名字叫《狼图腾》，这本书中有个观点，西方人都是有竞争性的，我们东方人，尤其是中国人缺少竞争性。所以，我们失败了。因此，要让民族强大的话，我们还得要向狼学习，要在我们的人性中加上狼性。

老实说，我对这样的观点嗤之以鼻。德国汉学家顾彬称：“《狼图腾》对我们德国人来说是法西斯主义，这本书让中国丢脸。”此为顾彬接受德国权威媒体“德之声”访问时发表的言论，我很赞成顾彬的话。现在，我们很多家长也认为我们的孩子没有竞争性，所以要向西方学习，要让他们像西方的孩子一样有个性，敢张扬，然后才能够在将来的人生里占得先机。对这种观点我也是报以苦笑。

为什么我苦笑呢？因为，这首先就不是事实。西方的孩子其实很知道与人相处的谦让之道；中国的孩子也是很有竞争意识的——我们学校的成绩不也是常常搞排名吗？你们真的认为我们的孩子不会抢，西方的孩子会抢吗？实际上西方人也是非常讲文明礼仪的。在公共场合，和我们相比，西方的孩子比我们中国的孩子不懂规矩，不懂得尊重他人，不尊重公共秩序吗？谁告诉你西方的孩子是一帮无法无天的熊孩子呢？

我看过一个电影，叫《至暗时刻》，讲二战时英国首相丘吉尔如何度过最艰难的时刻。其中有这样一个场景：丘吉尔去拜谒英国国王乔治六世，丘吉尔很谦恭地上前，国王伸出手背，丘吉尔很谦恭地亲吻国王的手背，然后，很谦恭地退着离开王宫。

我们都知道，丘吉尔何等有个性，何等强悍，何等张扬，他自己在电影里还讲到，他这个家族就是控制不了自己的情绪和脾气。乔治六世对丘吉尔说，“你担任英国首相，世界上对此最惧怕的人，就是希特勒”。

一个让战争狂人希特勒感到恐惧的人——丘吉尔，对国王，他是那么谦卑。问题是，他那么谦卑，可是他那么强大！整个欧洲都沦陷了的时候，英国傲然挺立！不，实际上，是丘吉尔傲然挺立！谁说谦卑的人不强大！

我还读过一篇文章，冼玉清写的，文章的题目叫《古礼与西礼之比较》，把中国古代的礼和西方的礼做了一个比较。这篇文章的作者冼玉清是文史专家、书画家，精通传统诗词书画。她在这篇文章里，把中国古代的礼和西方的礼做了一个比较，她说：“西欧礼仪，其细密严重更有十倍于中国者。”

也就是说，西方的礼仪的那种细密，要求的严格，比中国古代的礼还要多十倍。所以她得出一个结论：“故浸润中国礼教者，其人笃敬可亲，饱受西方文明者，其人亦文质可法。”

意思是，如果一个人能够深刻地理解中国的礼教，那么这种人一定是温、良、恭、俭、让，可亲可敬；如果一个人饱受西方文明的训练，他也一定是文质彬彬，值得效法的。最可怕的是什么？冼玉清说：“惟新旧皆无深切认识者，放辟浮薄，直不知所谓而已。”

对于中国的文明礼仪不懂，对西方的文明礼仪也不懂，不仅不懂，还鄙薄礼仪，以蛮横为强大，视嚣张为力量，最终只能是放荡、邪恶、浮躁、浅薄，冼玉清说的这种人，我真不知道怎么评价了。

现在，我们有很多人就是抱着这样的一种错误的认识。我们曾经把“温、良、恭、俭、让”当成一种错误的反面的东西进行批判，结果是什么？我想大家都看到了。

在这个地方，我想告诉大家的是，文明才是力量，野蛮不是力量。我还想告诉那些家长，你要让自己的孩子将来在这个社会上获得更多的机会，那么，重要的不是让他有狼性，而是让他有人性。很简单，这世界上99%的机会都是别人给你的，而不是你抢来的。这个世界已经是文明世界了，是一个讲规则的世界了，不是一个野蛮的、丛林的世界了。所以，拜托，让孩子懂文明，懂人类世界的文明法则，这个是最重要的。

今天就讲到这里。在这节课里，我们主要讲了谦让之道，知道了有人性比有狼性重要。最后，我留一个问题：你觉得，谦让和竞争，是矛盾的吗？下一节课，孔子的好学生子贡，竟然开口骂人了，这是为什么呢？我们下一节课再说。

《论语》和我们的人生

第四十七讲

子贡为什么骂人？

大家好，我是鲍鹏山，我们一起接着读《论语》。

上一讲，我讲到，人类的教育，无论是中国的以孔子为代表的文教，还是西方以基督教为特色的宗教，都是教育人对他人谦让、慈爱、关心；人类的教育是让人有人性，去掉动物性。而人性中最核心的东西，就是孔子“仁者爱人”的“爱”。基督教讲博爱，中国的墨子讲兼爱，佛教讲慈悲，意思都是一样的。而孔子的“温、良、恭、俭、让”，就是一个心中有爱的人，一个有贵族教养的人体现出来的高贵气质。

◎孔子是凤

当人性达到一定高度之后，就接近于神性了。什么叫神性？神性就是人性中最纯粹、最高贵的部分。为什么有些人显得神圣呢？就是他的人性达到了别人所难企及的高度。孔子、释迦牟尼、苏格拉底、耶稣，都属于人性中的神性得到凸显的神圣之人。

有一天，孟子和他的学生公孙丑聊天，说，历史上有很多古圣先贤，比如伯夷、叔齐、伊尹等等，但是，他还是愿意做孔子的学生。为什么呢？因为孟子认为，自有人类以来，没有谁比得上孔子。

不光是中国的孟子这样认为啊，在德国，有一个思想史学者叫卡尔·雅斯贝尔斯，他有一本书叫《大哲学家》，在这本书里，他把孔子和释迦牟尼、苏格拉底、耶稣四个人列为“人类思想范式”的创造者。实际上，也就是把他们作为人类的四大先知，他讲到，这四个人的地位，是由他们的思想和精神的高度决定的，不是偶然的，也不是历史随便选择的。因为和这些人接触过的人，对他们的尊敬和崇拜，是最有说服力的证据。因为，这些人，真切地接触过他们并且深切地感受到他们的伟大。

那么，直接地接触过孔子的学生们，他们对孔子是如何评价的呢？我们来看看三个例子，这是孟子给我们做的转述。这三个例子有关孔子的学生宰我、子贡和有若。

孟子说：“宰我、子贡、有若，他们的智慧足以了解圣人，即使他们有一些缺点，也不至于阿谀他们所喜欢的人。我就说说这几个人对孔子的评价吧。宰我说，‘以我对老师的观察，他比尧舜贤多了’。竟然在宰我的眼里，孔子比尧舜还要贤良。子贡怎么说的呢？子贡说，‘自有人类以来，没有谁比得上老师的’。有若怎么说的呢？有若说，‘孔子是自有人类以来，最出乎其类，拔乎其萃的伟人’。他还做了一个比方，他说孔子和一般人相比，就相当于麒麟和一般的野兽相比，就相当于凤凰和一般的飞鸟相比，就相当于泰山和一般的小土丘相比，相当于大海和小水洼相比。”

我们来看看孔子身边的学生，宰我、子贡、有若他们对孔子的评价，这是出自他们最真切的感受啊！而且，我们还知道，在这三个人里，至少有两个，宰我和子贡，是在孔子生前，被孔子严厉对待过，严厉地批评甚至“打压”的人。就是这样的人，他们对孔子一点儿都不记恨，还给了孔子这样高的尊崇和评价！我们看一下原文：

“伯夷、伊尹于孔子，若是班乎?”曰:“否。自有生民以来，未有孔子也。”曰:“然则有同与?”曰:“有。得百里之地而君之，皆能以朝诸侯，有天下；行一不义，杀一不辜，而得天下，皆不为也。是则同。”曰:“敢问其所以异。”曰:“宰我、子贡、有若，智足以知圣人，污不至阿其所好。宰我曰:‘以予观于夫子，贤于尧、舜远矣。’子贡曰:‘见其礼而知其政，闻其乐而知其德，由百世之后，等百世之王，莫之能违也。自生民以来，未有夫子也。’有若曰:‘岂惟民哉？麒麟之于走兽，凤凰之于飞鸟，泰山之于丘垤，河海之于行潦，类也。圣人之于民，亦类也。出于其类，拔乎其萃，自生民以来，未有盛于孔子也。’”（《孟子·公孙丑章句上》）

◎自绝于日月

其实，子贡对孔子的尊崇，在《论语》里就有记载，而且还是接连三条，这就是《论语·子张》篇最后三章：

19.23 叔孙武叔语大夫于朝曰："子贡贤于仲尼。"子服景伯以告子贡。子贡曰："譬之宫墙，赐之墙也及肩，窥见室家之好。夫子之墙数仞，不得其门而入，不见宗庙之美，百官之富。得其门者或寡矣。夫子之云，不亦宜乎！"（《论语·子张》）

这一段讲的是，鲁国的"三桓"之一，叔孙氏的家长、鲁国的大司马叔孙武叔（名字叫州仇），有一天，他在朝廷上对大夫们说："子贡强于孔仲尼。"一个鲁国大夫子服景伯将此话告诉了子贡。子贡说："这就如同房舍的围墙，我的围墙只到肩膀，所以人们站在墙外就能窥见房屋的美好。我老师的围墙有数仞高，如果找不到门进去，光站在外面，是看不到宗庙的美好和各个房舍的丰富多彩的。找得到门能进去的人是很少的吧。叔孙武叔老先生说此话不也是很自然吗？"

这个叔孙武叔，好像对孔子特别有意见，总是看孔子不顺眼。所以他总是贬低孔子。但子贡多会说话啊！一句脏话没有，却把叔孙武叔贬到尘埃里去了！最后一句："夫子之云，不亦宜乎！"简直就是说："叔孙大夫啊，按您的水平，看不到孔子的高度，不是太正常了吗？您够不着孔子啊！"

但是我们看，和下一章相比，叔孙武叔这里说孔子，还不算太过分。他也没说孔子不好，只说孔子比不上子贡，而且他的侧重点在子贡，是说子贡好厉害，比孔子还厉害。所以，子贡反击他，是比较含蓄的，还称他为“夫子”呢。

再看下一章，就不一样了：

19.24　叔孙武叔毁仲尼。子贡曰：“无以为也！仲尼不可毁也。他人之贤者，丘陵也，犹可逾也；仲尼，日月也，无得而逾焉。人虽欲自绝，其何伤于日月乎？多见其不知量也。”（《论语·子张》）

这一次叔孙武叔直接诋毁孔子了。怎么诋毁的，我们就不知道了，我们看看子贡是怎么反击他的。

子贡说：“不要这样啊！仲尼是诋毁不了的。其他人的贤德，如同小山小丘，还可以越过去；仲尼，是太阳和月亮啊，是无法越过的。即使有人想要自绝于太阳和月亮，对太阳和月亮又有什么损伤呢？只是说明这种人不自量力啊。”

子贡的口气：“无以为也！”（您别这样啊！）这口气就是居高临下，是对弱者的怜悯，意思是：“叔孙州仇啊，你这个小可怜，别干这样的傻事。别人你可以碰碰，碰孔子，是你自不量力啊。你根本不具备资格说孔子。你知道孔子是什么样的人吗？他是太阳、月亮一样的人啊。其他人优秀，你嫉妒嫉妒也就算了，因为他们也就是小山丘而已。可是孔子，那可是日月一样的存在啊，小可怜，你嫉妒诋毁他，你自己想好了吗？无论你怎样，也伤不了孔子啊。只是让人觉得你可笑且不自量力啊。”

子贡这番话，说得很有身份。面对着鲁国最有权势的三大家族之一，作为卫国人的子贡，他一点都不胆怯，为什么？很简单。

第一，子贡也是卫国的贵族。他是卫国最有声望的大贵族蘧伯玉的外孙。

第二，他是大外交家、大富豪、中国首富！这样的人，还有什么人能让他自惭形秽呢？

更重要的，是第三——他是孔子的学生，而且是“孔门十哲”之一！

在这三点之中，孔子的学生，是他最引以为傲的身份！做过孔子的学生，见过圣人的人，还有什么人能让他拜倒呢！子贡护师，真是不遗余力。护师的同时，也就不免骂人了。其实，为了老师，不止一个叔孙州仇被子贡的铁嘴铜牙“蹂躏”过，我们下一讲再讲。

第四十八讲 子贡护师

大家好，我是鲍鹏山，我们一起接着读《论语》。

◎愚蠢啊，子禽

上一讲，我讲到子贡为了维护老师，不惜和鲁国的大权贵叔孙武叔翻脸，对他冷嘲热讽，而且撕破脸皮。子贡岂止是对这个本来就不顺眼的权贵毫不客气，即使对同学，如果这个同学对老师不恭敬，他照样毫不客气地顶回去。他才不在乎同学的面子呢，我们来看看下面一章：

19.25　陈子禽谓子贡曰："子为恭也，仲尼岂贤于子乎？"子贡曰："君子一言以为知，一言以为不知，言不可不慎也。夫子之不可及也，犹天之不可阶而升也。夫子之得邦家者，所谓立之斯立，道之

斯行，绥之斯来，动之斯和。其生也荣，其死也哀。如之何其可及也？”（《论语·子张》）

这个陈子禽，就是我们讲过的 1.10 章中问子贡：“夫子至于是邦也，必闻其政，求之与？抑与之与？”然后引出子贡说出老师“温、良、恭、俭、让”的子禽，姓陈，名亢，字子禽，在司马迁《史记》的《仲尼弟子列传》里面，没有陈亢这个人，却有一个原亢籍。现在，一般的学者都认为这个原亢籍就是陈亢。但我在《论语导读》里认为，此人一定不是孔子的学生，或者他想做孔子的学生，但一直没被接纳，所以他说话总是酸溜溜的。

我们来看看他怎么说孔子。陈子禽对子贡说：“您对仲尼是有意表现恭敬吧，他哪里比您更强呢？”子贡说：“唉，君子一句话可以显示聪明，一句话也可以暴露愚蠢，所以说话不可不谨慎呀。我们老师的高不可及，就好像天不能通过阶梯登上去一样。我们老师如能获得权位而为诸侯为大夫，就像人们所说的，他要建立什么，什么就建立了；他要引导百姓，百姓就会前进；他要安抚百姓，百姓就会来归附；他要发动百姓，百姓就会团结协力。他生的光荣，死的哀荣。谁能比得上我的老师孔子呢？”

我们来看看子贡这段话，后面说老师厉害的，我们先放下，就看他前面如何骂陈子禽：“君子一言以为知，一言以为不知，言不可不慎也。”这话说得重啊，什么意思啊，他在教训这个陈子禽，让他做人、说话要过过脑子，为什么呢？因为，一句话就能看出一个人的智慧，一句话也能听得出一个人的愚蠢。他说：“你知道你这句话说得

多么愚蠢吗？你自家愚蠢也就算了，不要让别人知道啊，所以，你小子以后说话谨慎一点好吗！过一点脑子好吗？”

为什么子贡对他那么严厉，直接说他愚蠢，还说他暴露愚蠢呢？这个陈子禽愚蠢在哪里呢？首先他的价值观有问题，其次他的逻辑有问题。为什么我这么说呢？我们来看看。

第一，他不能正确判断人的价值，在他看来，子贡如此富有，孔子如此贫困，这就是贤与不贤的表现。这样看问题的人，就是以成败论英雄，当然境界不高。

第二，他以为子贡也是以这样的眼光来看人看己，他以为子贡也一定会因为自己比老师富有而觉得自己比老师孔子厉害。

第三，既然子贡也觉得自己比老师厉害，那么，他对孔子的尊敬，就一定是装出来的。

你看，这是不是子禽的逻辑？这种逻辑是不是很愚蠢？这种愚蠢是智力不够吗？不，是德性不够，是性格不好。**所以，智慧有时候，不是智商，而是德性和性格啊！**人生在世，处处纷争，时时竞争，人靠什么胜出？靠德性和性格。

◎窥视孔子

这个子禽，在《论语》里面出现过三次，分别是 1.10，就是讲到孔子“温、良、恭、俭、让”的那一章，一次就是我们刚刚讲的这一章，还有一章，是他和孔子儿子的对话：

16.13　陈亢问于伯鱼曰：“子亦有异闻乎？”对曰：“未也。尝

独立，鲤趋而过庭。曰：‘学《诗》乎？’对曰：‘未也。’‘不学《诗》，无以言。’鲤退而学《诗》。他日，又独立，鲤趋而过庭。曰：‘学礼乎？’对曰：‘未也。’‘不学礼，无以立。’鲤退而学礼。闻斯二者。”陈亢退而喜曰：“问一得三，闻《诗》，闻礼，又闻君子之远其子也。”（《论语·季氏》）

陈亢问孔子的儿子伯鱼道：“您在您父亲那里听到过与别人不同的教导吗？”伯鱼是个很老实的人，他回答说：“没有啊。不过，有那么两次。有一天，我父亲一个人站在那里，我有点怕他，我就快步经过庭院。父亲叫住我，问：‘学过《诗经》吗？’我回答：‘没有。’父亲说：‘不学《诗经》，就不会说话。’我回去就学《诗经》。又一天，父亲又一个人站在那里，我快步经过庭院。父亲叫住我，问：‘学过礼吗？’我回答：‘没有。’父亲说：‘不学礼，就不能在社会上立足。’我回去就学礼，我只得到过父亲这两次教导。”

陈亢回去就高兴地对别人说：“今天我问了一件事，得到了三个收获：第一，听到了学《诗经》的意义；第二，听到了学礼的好处；第三，我还知道了君子并不偏向自己的儿子，并不给自己的儿子吃独食。”

从这一章看，陈亢其实还是很善于学习的，并且还是很善于思考的，并不笨。但是，人笨，往往不是智商问题，而是性格和德性问题。

很多智商很高的人，在日常生活中，在与人交往中，往往呈现出很愚蠢的样子，为什么呢？很简单，性格和德性有问题。这个陈亢，我觉得他可能存在着严重的性格缺陷和德性问题。《论语》中他出现了三次，但是，大家有没有注意到一个奇怪的现象？他三次都不是和孔子直接对话，而是和其他人：两次子贡，一次伯鱼。

而且，在1.10和16.13这两章里面，一次是问子贡，老师有什么秘诀，一次是问伯鱼，你父亲有什么私传。当然不能说他不好学，但是，这种学习方式，好像是在窥探，给人一种猥琐的感觉。也许孔子不喜欢他这种鬼鬼祟祟的性格，不愿意教他，也许是他不愿意大大方方向孔子求教，喜欢这样鬼鬼祟祟。总之，他的气质不好。这可能是他有一种不为人知的童年经历，导致他严重自卑吧。

◎子贡护师

我们在19.23、19.24、19.25接连三章里，看到了子贡为了维护老师而对叔孙武叔和陈亢的批评。这三章，都有关孔子在当时的名声，并且当时不少人认为子贡比他老师孔子还要强，还要贤德。这让子贡很惶恐。一方面，维护老师的声望，是做弟子的不可推卸的责任；另一方面，既然有人认为自己比老师还强，子贡也不能不表态。所以这三章也是子贡在为老师做辩护和宣传。

我们要注意，这三章中，子贡都用了比喻来赞美孔子，19.23用数仞高墙遮住了一般人的视线，来比喻孔子学问艰深，并非一般人所能了解，如果你没有一定的高度，就没有办法理解孔子学问的高深。因为有了子贡这个比喻，现在曲阜城孔庙外面就有了万仞宫墙。19.24用日月来比喻孔子的不可超越，19.25更是以天来比孔子，以

“天之不可阶而升也”——天是不可以通过台阶爬上去的——来说明孔子的学问非一般人所能评论。

子贡是孔子弟子中极聪明的一个，他是一个出色的外交家，也是一个成功的商人。一个有钱的外交家，得到很多人的好评，获得很大的声誉，这是可以理解的。一般人也就因此认为子贡比孔子强。实际上，就学问的广博、思想的深刻、人格的伟大……诸多方面看，孔子确实远在一般人之上，也远在子贡这样杰出的人之上。但正如子贡所说的，一般人评论人物，只看他表面的东西，至于人格、思想、学问等等内在的东西确实非一般人所能理解。于是，风流倜傥、腰缠万贯的子贡，被人认为强于内涵深沉的孔子，也就很正常了。

好在子贡本人并不因此沾沾自喜，他毕竟是孔子的学生，他评点人物自然也高于其他人。在这三章里，我们看到了他的自谦，这种自谦，再一次证明了他的聪明，同时也证明了他的境界，他的贤德。

子贡不仅仅维护老师，他还在维护一种价值观：什么样的人，才是真正伟大的人；什么样的人生，才是最为成功的人生；什么样的人格，才是最为完美的人格。

这一讲我们就讲到这里。下一讲，我继续说子贡的故事，他的口才可不是一般的好，怼人就没输过，如果你们不信，我们下一节课再体会！

第四十九讲 铁齿铜牙端木赐

大家好，我是鲍鹏山，我们一起接着读《论语》。

上一讲，我讲了子贡为了维护老师，对同学陈亢毫不假以辞色，且直接说他愚蠢。

子贡是一个有个性的人，本来他自身的天赋和成就，再加上他老师的样板，他眼里就没几个人。他可是连鲁国国君都敢骂的。

◎子贡怒骂鲁哀公

《史记·孔子世家》里就有这样一个记载：孔子去世了，子贡是治丧委员会主任，他带着一帮弟子以儿子的身份来安葬孔子，这时，鲁哀公送来了他写的悼词，悼词是这么写的：

旻天不吊，不慭遗一老，俾屏余一人以在位，茕茕余在疚。呜呼哀哉！尼父，毋自律！子贡曰："君其不没于鲁乎！夫子之言曰：'礼失则昏，名失则愆。失志为昏，失所为愆。'生不能用，死而诔之，非礼也。称'余一人'，非名也。"

这一段文辞，写得很古奥啊，有一点《尚书》文辞的特点，所以，大家肯定是看不懂的。我翻译一下，这个鲁哀公的悼词，如果用现代的白话来说，就是这么写的："老天爷不仁慈啊，不肯留下这位老人，使他扔下我，让我孤零零一人在位，我孤独而又伤痛。啊！多么痛！尼父啊，您走了，没有人约束我，我就会多犯错误了啊！"

老实说，这悼词还是很诚恳的，是真悲痛。何况也没有人请他写悼词，鲁哀公是自己真悲伤，主动写了悼词，悼词也没有打官腔，全从自己真实感受入手，写孔子的死，让他觉得悲伤，觉得孤独，觉得被上天抛弃，觉得自己再也没有人管教，没有人能够帮他减少错误。不管你们怎么看，反正我读《史记》，读到鲁哀公的悼词，我是很感动的。而且最后一句"呜呼哀哉！尼父，毋自律！"情真意切，使人热泪长流，"尼父"，成了历代帝王给孔子的第一个谥号。从此，"尼父"成了孔子的另一个称谓。

但是，子贡就是不领情。作为治丧委员会主任，子贡很高傲，他也没请鲁哀公致悼词，在他眼里，孔子去世，天地同悲，山河失色，孔子的悼词，只有天才有资格做吧？现在，这样一个下等昏聩的国君，有资格祭奠孔子吗？更重要的是，孔子生前，也没见鲁哀公如何听孔子的话，读孔子的书，照孔子的指示办事；也没见你如何照顾他，热爱他，保卫他，尊崇他，现在他死了，你假慈悲写悼词，你装什么装呢？所以，子贡说："生前不重用，死后假慈悲，非礼也！这样的悼词，我们不接受！不需要！不稀罕！"

而且鲁哀公在这一段悼词里，还用了一个词，叫"余一人"，这"余一人"，可是古代天子自称啊！一个小诸侯，僭用天子名号，非名也！非礼也！在孔子这样一个终身维护周礼的人面前，在他的葬礼之上，用了这样违礼的称呼，这是故意羞辱孔子吗？所以子贡说："我们抗议！"

这个子贡是不是很厉害？

其实，子贡最厉害的话，还有这样几句，他看了这个悼词，马上对人说："鲁君难道不能终老在鲁国了吗？老师曾经这样说过，'一个人如果丧失礼节、丧失心志，就会昏乱，混乱了名分、丧失了规矩，就一定会犯错'。我看，这鲁君大概是不能在鲁国终老了！"这是预言呢，还是诅咒呢？

子贡还真不幸言中。子贡说这话的时候，是在鲁哀公十六年即公元前 479 年；11 年后，鲁哀公二十七年即公元前 468 年，鲁哀公真的变成鲁国的悲哀了：他和三桓又闹翻了，他想请越国的军队来帮他讨伐三桓，借外力来清理门户，没想到最终自己反而被清理出国门了，死在国外。

子贡是不是很聪明？从鲁哀公的一个悼词，他就看出来，鲁哀公迟早会被赶出鲁国，真是聪明。但是，我要说，子贡的聪明在于他的眼光，在于他的眼界。他的天赋智商，是天生的，而他的眼界、胸襟，是孔子给他的。我在第二十一讲讲到子贡的聪明，就是他有足够的聪明，可以获得世俗的成功，他也有足够的智慧，认识到圣贤的境界。

了解世界，靠的是知识；理解境界，靠的是智慧。认知世界，需要聪明；认知境界，需要德性啊。

子贡是一个特别会说话的人。谁惹他，谁都不是对手。

◎ 父子相争

从《论语》里子贡的几次对话，我们就能看出这一点。我们看看下面的这一章：

7.15　冉有曰："夫子为卫君乎？"子贡曰："诺，吾将问之。"入曰："伯夷、叔齐何人也？"曰："古之贤人也。"曰："怨乎？"曰："求仁而得仁，又何怨？"出曰："夫子不为也。"（《论语·述而》）

这说的是什么呢？这段话，有一个背景，卫灵公的孙子，姓蒯，名辄，叫蒯辄，后来做了卫国的国君，就是卫出公。他的父亲叫蒯聩，是卫灵公所立的世子，蒯聩当时想谋杀卫灵公的夫人南子，没有成功，被卫灵公驱逐，逃到了晋国。卫灵公死后，南子就当家作主，把蒯聩废了，将蒯辄立为国君。这时，晋国的赵简子率军又把蒯聩送回卫国。那么我们就发现这里有一个问题了，卫国已经有了一个国君，就是蒯聩的儿子卫出公，现在蒯聩又回来了，于是就形成了父亲同儿子争夺君位的局面。唉，这祖孙三人，多乱啊。

那么，就在这一场儿子和父亲争夺君位的内乱中，孔子当时可是在卫国，他是站在哪一边呢？他是什么态度呢？他支持现任的国君，还是支持来夺权的国君呢？

冉求搞不清，又不敢问老师，就问子贡："师兄啊，老师赞成现任的国君吗？"子贡一听，好简单的事，说："好的，我去问问老师。"子贡进屋，问孔子："老师，伯夷、叔齐是什么样的人呢？"孔子说："古代的贤人啊。"子贡问："可是他们丢失了国君之位，他们有怨恨吗？"孔子说："他们追求仁德而得到了仁德，还有什么怨恨呢？"子贡一听就明白了，他走出来对冉有说："老师不赞成卫君之争。"子贡和老师说话，没有一处提到这一对活宝啊。他只是问了古代的伯夷、叔齐之事，他并没有问："老师啊，你是赞成谁啊？你是帮着现在的国君吗？"子贡没问，但是他怎么就知道答案了呢？

原来，伯夷、叔齐是商代孤竹君的两个儿子。父亲想要立第三子叔齐为国君，等到父亲死了，叔齐就觉得"我是第三个儿子，我的大哥是伯夷，我怎么能够做国君呢？"就要把君位让给大哥伯夷。可是伯夷说："让你做国君，是父亲的遗命啊！"于是就逃走了。叔齐一看大哥走了，也不肯继承君位逃走了。国人只好拥立孤竹君的第二个儿子做了国君。

现在，蒯聩、蒯辄父子争位，与古代伯夷、叔齐两兄弟互相让位，形成鲜明的对比。孔子赞扬伯夷、叔齐的"礼让为国"，自然就不赞成蒯聩、蒯辄父子争位了。所以，孔子既不赞成蒯聩，也不赞成

蒯辄，这一对活宝父子，没一个孔子看得上眼。

◎美玉待沽

子贡是不是很会说话啊？实际上，子贡会说话，还得有人会听话。孔子就是这个会听话的人啊。他一听子贡问伯夷、叔齐，就知道子贡意在蒯聩、蒯辄争位之事。记录这种相视一笑、莫逆于心的师生关系，还有更精彩的一章：

9.13 子贡曰："有美玉于斯，韫椟而藏诸？求善贾而沽诸？"子曰："沽之哉！沽之哉！我待贾者也"。（《论语·子罕》）

我先说一下这个谈话的背景。当时鲁国的政治很糟糕，很多人盼着孔子出来收拾烂摊子。但孔子，看到当时掌权的人阳货不是一个好人，所以他就一直安心办他的私学，做他的老师，不愿意出来做官。

但是，子贡觉得老师应该出来做官，一来对国家有所担当；二来也是实现自己的价值，推广自己的道义；三来，那就不好意思说出口了，老师做了大官，弟子们也跟着沾沾光。但作为弟子，如何才能把这个想法委婉告诉老师呢？

子贡和老师打哑谜，说："有一块美玉在这里，是把它放入柜子里收藏起来呢，还是找一个识货的商人卖掉它呢？"孔子说："卖它吧！卖它吧！我正等着识货的商人呢。"这师徒二人真正说的是什么意思啊？子贡说："老师，您这么一个才德优秀的人，是一直隐居在家呢，还是出来做官，实现自己的价值，为国家出力呢？"

孔子怎么回答的呢？孔子说："这小子，和我打哑谜啊，我听出来了，那好，我也跟你打哑谜。”所以孔子说：“沽之哉！沽之哉！我待贾者也。”其实，这个话的意思是什么呢？“出来做官啊，出来做官啊，只不过我要等那个值得共事的人呢，现在这个阳货不配。”

孔子一直在等一个真正了解他、信任他并愿意听从他的人，阳货显然并非其人。所以，孔子在等待。当然，他不着急，他有大事业做。这个大事业，就是他的教育。

我们这一讲就讲到这里。最后，还是留一个问题给你们：在这个故事里，子贡委婉地向老师孔子表达了自己的意思，但是我们还学过一个成语，叫“直言不讳”，就是直截了当，没有丝毫顾忌地将话讲出来，你们觉得这两种说话方式，哪一种更好呢？我们在生活中，面对不同的情境，是不是要有不同的选择呢？下一讲，我们继续讲子贡，他会告诉我们，原来，知识都是问出来的，为什么说知识都是问出来的呢？我们下一节课再讲。

第五十讲 学问

大家好，我是鲍鹏山，我们一起接着读《论语》。

◎孔子的鞭策

上一讲，我讲到了子贡的铁齿铜牙，其实，孔子的学生，各有各的特色和特长。特色指他们的个性，特长指他们的能力。子贡是他们之中非常突出的一位，即使如此，孔子仍然对子贡不满意，不断敲打他，我们在第二十一讲里，讲到孔子对子贡的打击。我们也知道，其实子贡已经很厉害了，那么，孔子为什么还要不断地打击他呢？我想说一下我的理解。

第一，孔子知道子贡有实力，他经得起打击，子贡有足够的抗击打能力。就如同我们在第二十一讲讲到，孔子当着好几个同学的面，先夸别人，再打击子贡，说他不是君子，只是一个器，这样的场合，一般人真的受不了，但是子贡呢，竟然承受住了。他的抗击打能力，是非同一般！

第二，孔子知道他有实绩。子贡是一个在商业和外交上都有过人成绩的人。子贡超强的抗击打能力来源于何处？当然有他自身的原因，但最重要的原因是有自信。这自信就来自他自家的实力和真实的成绩。孔子知道这个学生打不垮，压不扁，恰恰相反，会愈挫愈奋，所以才打击他。如果是一个没有成绩也没有实力的人，孔子可能就要小心一点对待了。碰到一个玻璃心，谁不怕碰碎了？

还有第三点，孔子知道他有潜力。如果是一个已经用尽所有力量的人，你也就不必再给他加码。而子贡，显然不是。他太聪明了，到现在，他所取得的很多的成绩，所攀登到的境界，主要依靠自己的聪明和悟性，他还真的没怎么努力，如果他再加上努力的话，那么他还会有更大的进步空间。

所以，我们在第四讲里，讲到有一次，子贡问老师：

5.15　子贡曰："孔文子何以谓之文也？"子曰："敏而好学，不耻下问，是以谓之文也。"（《论语·公冶长》）

子贡问老师，"孔文子，凭什么死后谥号为'文'呢？"孔子就回答他八个字："敏而好学，不耻下问。"你们以为孔子仅仅是在说孔文子吗？他也是在暗中警醒子贡啊！

你聪明，但你还不够好学，你和颜回相比，在学问上用力就不够。你成就高，但你要注意不耻下问，你别老端着。同学中你名声最大，钱最多，成绩也最醒目，你不能老是高高在上、自以为是、眼高于顶啊。

其实，子贡虽然成绩斐然，实力强，名声广，但是，他还是很平易近人的。比如他结交的人，往往都很平常，甚至还有些很平庸。但是，这样一来，孔子又有话说了。

> 孔子曰："吾死之后，则商也日益，赐也日损。"曾子曰："何谓也？"子曰："商好与贤已者处，赐好说不若己者。不知其子，视其父；不知其人，视其友。不知其君，视其所使；不识其地，视其草木。故曰：与善人居，如入芝兰之室，久而不闻其香，即与之化矣。与不善人居，如入鲍鱼之肆，久而不闻其臭，亦与之化矣。丹之所藏者赤，漆之所藏者黑，是以君子必慎其所与处者焉。"（《孔子家语·六本》）

孔子说："我死之后，卜商会越来越好，而端木赐会有所退步。"曾子问："为什么呢？"孔子说："你看啊，卜商喜欢结交比自己强的人，所以，他会受他们影响而越来越强；子贡喜欢同才智比不上自己的人相处，所以，他也会受他们影响而渐渐地变弱、变差。如果你不了解一个孩子，就看看孩子的父亲；不了解一个人，就看他周围的朋友；不了解主人，就看他使唤的都是些什么人；不了解土地的情况，就看看土地上草木长得怎么样。"

说到这里，孔子就说出了我们后来常说的几句格言了：

> 与善人居，如入芝兰之室，久而不闻其香，即与之化

矣。与不善人居，如入鲍鱼之肆，久而不闻其臭，亦与之化矣。

最后，孔子说，藏朱砂的地方时间长了会变红，藏黑漆的地方时间长了会变黑，所以，孔子说，君子必须谨慎地选择朋友啊。孔子是不是总是变着法子敲打子贡，就好像子贡总有不是。

◎政权的合法性

其实，子贡是一个很善于学习的人。我们来看这一章：

12.7　子贡问政，子曰："足食，足兵，民信之矣。"子贡曰："必不得已而去，于斯三者何先？"曰："去兵。"子贡曰："必不得已而去，于斯二者何先？"曰："去食。自古皆有死，民无信不立。"（《论语·颜渊》）

我们先简单地翻译一下。子贡问怎样才是一个好的政府。孔子说："粮食充足，军备充足，人民的信任充分。"子贡一听，马上就问了第二个问题："如果在不得已的情况下一定要去掉一项，在这三项中哪一项先去掉呢？"孔子说："去掉军备。"子贡说："如果不得已还要去掉一项，在剩下的这两项中去掉哪一项呢？"孔子说："去掉粮食。"

讲到这里，子贡大概在想：粮食都没有了，国君贵族们都饿死了，还有什么政府和国家啊。孔子显然看出了他的疑虑，说："自古以来人都是要死的，但如果没有人民的信任，任何政府和国家都是立不住的。”

读了这段对话，大家是否觉得子贡善于学习啊。按说，当他问政的时候，孔子已经给出了答案。但是，面对孔子给出的好政治、好政府必备三要素，他竟然问出了“必不得已而去”这样精彩的问题。要知道，这段对话，孔子的回答，最精彩的地方，不在“足食，足兵，民信之”这个概述性的整体性的回答，而在于不得已的情况下，这三者谁更重要：对“粮食充足，军备充足，人民的信任充分”这三者，如果要做减法，先去掉哪一个？你们觉得先要去掉哪一个呢？我们来看看孔子的回答。

他的回答几乎是毫不犹豫：“先去掉军备。”这是一个非常了不起的回答。

在他看来，有军备当然好，但是，一旦军备和粮食储备发生矛盾，就要让位于粮食。这不仅是因为没有了粮食，饿着肚子的人拿不了枪，更重要的是，这有关政治的价值观：是人民重要还是贵族们的政权重要？

我们看到过很多军事强大的国家，其实人民并不幸福，甚至苦难重重，生灵涂炭，比如中国历史上的秦朝，军事很强大，但人民很痛苦。我们也能看到世界上很多这样的国家，军事很弱小，但人民很幸福，安居乐业，和谐安详。我们还看到，这个世界上，有一些军事强大的国家，其强大的军事，正是用人民的贫困和痛苦来实现的。这正是孔子反对的。

那么，在粮食和人民的信任之间，如果必须去掉一个呢？孔子的回答仍然是毫不犹豫："去食。"并且马上补充道："自古皆有死，民无信不立。"

谁能不死？没有人民的信任，一个政权从根本上来说就无法建立！因为，它不具备合法性！这样伟大的政治思想，如果没有子贡的再三追问，孔子就不会给我们展开论述！这个加减法我们就不会去做。

能提什么样的问题，我们就能看出什么样的境界。子贡能提出"不得已而去"的问题，并且层层剥离，最终剥出孔子的"信"来，可见子贡平时所思考的问题和思考的深度。真是非子贡不能作如此问，非孔子不能作如此答。

问者有学问，答者有天地。问者有目的，答者有心数。问者是有备而来，如入山探宝，绝不愿空手而归；答者是胸有成竹，如探囊取物，真正是要言不烦。这一对名师高徒，问答诘难穷究不已，终至于"山高月小，水落石出"。

有一句俗语：会哭的孩子有奶吃。看了《论语》中这一章，我想说一句：会问的学生有加餐！汉语里有一个词叫学问。什么叫"学问"？就是学会问。子贡会问，所以，他就有了学问！不过，孔子的学生里，会问的可不止子贡一个，下一讲，我再讲讲另外几个会问的学生！你们也就跟着他们一起学，将来做一个会问的人。

第五十一讲 巧问妙答

大家好，我是鲍鹏山，我们一起接着读《论语》。

上一讲，我讲到了子贡善于学习，善于提问。我还说了一个道理：会问的孩子有加餐。其实，我们也要感谢他们，因为他们会问，我们也就通过他们，得到了加餐。

◎ 做人有最高境界

因为会问而得到加餐的，我再讲一个人，冉求。

13.9　子适卫，冉有仆。子曰："庶矣哉！"冉有曰："既庶矣，又何加焉？"曰："富之。"曰："既富矣，又何加焉？"曰："教之。"（《论语·子路》）

这个事情的背景是这样子的，孔子在鲁国和"三桓"以及鲁定公

闹翻了，他一生气，就辞官不干了，把一切都抛弃了，然后带着一帮弟子就来到卫国。当时卫国国君是卫灵公，卫灵公这个人有很多毛病，但是，他有一个优点，卫灵公很会用人，并且他对孔子的到来很是欢迎。在这样的情况下，冉有等弟子对于孔子到卫国以后，能够在卫国从政，施展宏图，非常乐观。而他们一进卫国，又看到卫国无论是乡下还是城里，都是人口众多，到处都熙熙攘攘。国家人口众多，说明这个国家的人民安居乐业，并且有那么多的人口，也就有了进一步发展的潜力。所以，孔子很高兴，马上就感叹了一句："卫国，没想到啊，人口这么多！"冉有一听，马上就问："老师，人口已经很多了，如果让您来治理这个国家，下一步您准备怎么做呢？"孔子答："让他们富起来。"冉有接着问："富起来以后呢？"孔子回答："教育他们。"

对于人民，先富后教，先解决吃饭问题；吃饭问题解决以后，还要解决教育问题。这种思想，实际上是把人民当人，不是把人民当牲口，是人，就不仅要吃饭，还要有人格。所以，有良知的政治家，既要考虑解决人民的生计问题，又要尊重人格发展，尊重人的基本权利。

在孔子和弟子冉求的问答之间，我们看看，孔子就给我们展示了这样朴实而健全的政治理念，孔子的政治思想是人道的、仁慈的、以人为本的，但是，没有冉求这样步步追问，我们又何从知道这些呢！

所以我们说，孔子善于回答，冉求也善于提问。问者求知心切，问出的问题才能体现出思想的深邃。

所以，冉求、子贡，都是善于学习的人，都是善于提问的人。我们在上一讲讲到，子贡做的是减法，减到最后，“山高月小，水落石出”，剩下最最重要的，因此让我们了解了一个国家最后必须坚持不放的是什么。

而冉求，用的是加法，就如同登山，步步升高，最后让我们登临绝顶，“一览众山小”——让我们知道治国的最终目标在哪里，人生的最高境界不是穿衣吃饭，不是活着，而是全面发展，自由发展。

同样善于抓住机会，问出大学问来的，还有子路。我们来看下面这一章：

◎师徒言志

5.26　颜渊、季路侍。子曰：“盍各言尔志？”子路曰：“愿车马衣裘与朋友共敝之而无憾。”颜渊曰：“愿无伐善，无施劳。”子路曰：“愿闻子之志。”子曰：“老者安之，朋友信之，少者怀之。”（《论语·公冶长》）

本来这次是孔子问弟子问题，颜渊、子路在孔子身旁侍立。孔子说：“今天悠闲啊，何不各自说说你们的志向？”子路说：“我愿意把车马皮衣拿出来与朋友共同使用，用坏了也不遗憾。”颜渊说：“我希望自己内心美好而不自夸，希望自己有功于人而不表白。”

按说，这次对话到此就结束了，因为孔子有了问，弟子们有了答。如果要延续，也是孔子对颜回、子路的志向进行评论，但是，没想到，子路突然发问了：“愿闻子之志。”因为有这一问，我们才能看到孔子如此精彩的回答："老者安之，朋友信之，少者怀之。"

这里的朋友，不能理解为字面意思，因为三句话并列，前面是老者，后面是少者，所以中间的朋友，意思应该是"如你我这样的年龄正当时之人"，也就是正要做事业的壮年人。而这个"信"，也不读 xìn，而读 shēn，意思和读音都与"伸"相同，是伸直、舒展的意思。这个读法、意义和用法在孔子那个时候是比较常见的。既然这样，孔子这三句话，翻译过来就是："安顿老人，让他们能够安享晚年；让壮年人有发展，有用武之地；让少年人得到抚育，能够健康成长。"孔子给我们展现的是多么宽广的胸怀呀！

但是就像我刚才讲的一样，如果没有子路这一问，"愿闻子之志"，孔子又如何能说出来这三句话，我们又如何能够知道他的宽广的胸怀呢？而且，我们来看一看，这一段对话，师徒三人，孔子、颜回、子路，他们三个实际上是有差距的。这三者之间，通过这段对话，我们可以看出来他们的不同，不同在哪里呢？宋朝的程颐说："夫子安仁，颜渊不违仁，子路求仁。"

什么意思呢？就是孔子已经安住在仁德之中，仁者安仁，而颜渊呢？他已经够到了仁德的境界，正努力使自己不离开仁德。子路呢？还没有够到仁德的境界，他正在努力达到仁德。

子路只想着对朋友好，颜回就已经想到了要让自己变成一个好人，而孔子在想着，自己变成好人之后，要让天下人变好。

你看这三者的差距，实际上也是我们进步的过程。我们要先学子路，能把好东西拿出来与身边人分享；再达到颜回的境界：有美德而不自夸、有功劳而不显摆；最后是孔子的境界：居仁德之中，博爱天下！

◎ 学会提问

孔门师徒，这样令人心仪的场面时时出现。读《论语》，我们不是局外人，不是旁观者，我们也是参与者，我们不在两千多年后，我们就在现场！这话不是我说的，是我刚刚讲到的宋朝的程颐说的。

程颐有这样一段话："学者须将《论语》中诸弟子问处便作自己问，圣人答处便作今日耳闻，自然有得。虽孔、孟复生，不过以此教人。若能于《语》《孟》中深求玩味，将来涵养成甚生气质！"（《读〈论语〉〈孟子〉法》第三则）

他的这个意思就是，我们这些读《论语》的人，就应该把《论语》里那些弟子的提问，当成自己在问，孔子对这些弟子的回答，也就当成我们亲耳在现场听到的回答。你这样的有现场感，自然就有所收获！程颐还说，即使孔孟复生，来到今天，他不过也就是这样来教人。所以，拿着《论语》《孟子》，和直接面对孔孟没有区别，关键在于能不能把自己安放到现场。

程子还要求我们，他说如果我们能在读《论语》、读《孟子》的时候，深求玩味，也就是说我们能够把自己放入当时孔子和他的学生对话的情景中，我们在自己人生的未来，一定会涵养成一种文质彬彬的、了不起的气质。

所以，读《论语》，就得把孔子当老师，把孔门弟子当作同学。

不仅要听孔子说，还要看弟子问，并且跟着他们学着问，我上一讲讲到一个词“学问”。我说，学问学问，就是学着问，当你学会问了，你就有学问了。跟谁学着问呢？就是跟《论语》中的孔子的弟子。

金朝有个大诗人，名字叫元好问，这个名字很好玩，实际上，他总共兄弟三人，大哥叫元好古，二哥叫元好谦，他叫元好问。他们三人的名字都是有出处的。大哥元好古，他的名字出自《论语·述而》：“好古，敏以求之者也。”二哥元好谦的名字出自《周易·彖传》“人道恶盈而好谦”，《尚书·大禹谟》里也有这样的话，叫“满招损，谦受益”。元好问的名字出自《尚书·汤诰》“好问则裕，自用则小”。这句话是什么意思呢？就是一个人如果喜欢向别人讨教求问，就会越来越丰富广博；而如果一个人老是自以为是、刚愎自用，就会越来越狭隘窄小。

◎巧妙地问

《论语》满篇都是提问，《论语》中的人，也都是好问之人。《论语》是一部教我们学会问的书。什么叫学会问呢？一切人生问题，《论语》皆有答案。《论语》中孔门弟子的问，有三个特点。

第一，要巧妙地问。不要直通通地问，直通通地问，可能会让对方尴尬，不方便回答你。

第二，更重要的是有思考地问。

第三，还有最重要的，就是你得知道你最需要关心什么问题，什么问题才是你人生的最关键的大问题。

我们就来谈谈这三点。

第一点，要巧妙地问，这一点，子贡是典范，我们在第四十九讲里，讲到蒯聩、蒯辄父子俩争夺王位。孔子站在哪一边呢？如果直接去问，你让孔子怎么回答呢？孔子不站在任何人的一边，这一对活宝都不是好东西。但是在人家国家，能直接批评人家国君吗？人家发生内乱，你一个客人，能直接宣布站在哪一边吗？所以，孔子没法回答，但是子贡会问，子贡问："老师，伯夷、叔齐丢失了国君之位，他们有怨恨吗？"

孔子说："求仁而得仁，又何怨？"孔子赞扬伯夷、叔齐的礼让为国，自然就不赞成蒯聩、蒯辄的父子争位了。这一问，答案就有了，这就叫巧妙地问。

这种巧妙地问，我们在第四十九讲里还讲到 9.13 这一章，子贡想问老师想不想出来做官，子贡就和老师打哑谜，有一块美玉，是卖掉呢，还是自家收藏呢？孔子说："当然卖掉啦，只不过要找一个好的买家。"这巧妙的一问一答，问题就解决了。

我们这一讲讲了《论语》中弟子问问题的第一点：巧妙地问。下一讲，我讲讲第二点，有思考地问。

第五十二讲 孔子的招生规则

大家好，我是鲍鹏山，我们一起接着读《论语》。

上一讲，我们讲了《论语》教我们学会问，我们讲了第一点，巧妙地问。第二点是：有思考地问。

◎有思考地问

什么叫有思考地问？就是你对这个问题其实已经有了很努力的思考，甚至已经有了答案。你可能会说："既然我已经有了答案，为什么还要问？"很简单，你的答案需要印证啊！你可能又要问了："既然我可以找到一个人给我现成的答案，为什么我还要思考？"很简单，你不思考，答案有了，但是你的思考能力没了。再说了，天下的事，哪里只有一个答案呢。《论语》里，同一个问题不同的同学都问过，孔子的回答都不一样。甚至同一个问题同一个人在不同的场合问，孔子的回答都不一样。

所以，关键不是答案，而是思考能力，有了思考能力了，就可以独立思考碰到的问题。大家就在未来的人生里不怕所有的问题了，因为任何一个问题，到你这儿你都有答案了。所以，孔子的教育，不是给别人一两个答案，而是教会别人思考。为了鼓励甚至强迫学生自己思考，孔子有一个学规：你不思考，我不回答。

我们都知道孔子诲人不倦，但是，你不要以为不管什么人，孔子都耐心教导他，还真不是。孔子诲人不倦是真，但要看对什么人。有些人，他看一眼就倦了。比如这类人：

7.8　子曰："不愤不启，不悱不发。举一隅不以三隅反，则不复也。"（《论语·述而》）

这段话是什么意思呢？孔子讲他的学规，也是他的招生规则，孔子说有教无类，是指孔子招生不看成绩也不看出身，但是，他看学生学习的主动性。这一章就讲了三条学规，前两条是："不愤不启，不悱不发。"什么意思？"你不自己苦思冥想，我不教给你；不是你内心已有感受，我不启发你。"第三条是："举一隅不以三隅反，则不复也。"什么意思？任何一个知识，老师的责任是只告诉你四分之一，学生的责任是根据老师的方法把剩下的四分之三自己推导出来。如果学生做不到这一点，或者一个学生不愿意做这一点，那么老师就不必再搭理这样的学生了。

孔子还说得特别形象，他指着自己坐案的四个角，说："老师只告诉你一个角，另外三个角你们自己去推导领悟。如果你们不愿意或者没能力做到，这样的学生就不要了。”

大家可能会说：“这就不教了！”其实，孔子的这个学规，本身就是在教学生学会思考。所以，不教也是教！我们看一个可怜的孩子向孔子求学的故事。

◎不教也是一种教

17.20　孺悲欲见孔子，孔子辞以疾。将命者出户，取瑟而歌，使之闻之。（《论语·阳货》）

这一段记载的是，一个叫孺悲的人想见孔子求学，其实，这个人未必叫孺悲，我不是讲过《论语》中很多人名的由来吗？我在第二十六讲讲到楚狂、长沮、桀溺这些名字的由来——都是根据当时的情景给他起一个名字。这个孺悲，分明就是可怜孩子或者是孩子可怜的意思。这孩子为什么可怜呢？我们就来看看这一章。

他要见孔子，不知道为什么，孔子就是不想见他，就推辞说生了病。这也正常，但是，接下来发生的就不正常了。传话的人刚出门，开口对孺悲说：“对不起，我老师今天病了，不能见你。”就在这时，孔子在房间里，拿过乐器又弹又唱，声音很大，故意让孺悲听到。孔子是想表明：“嘿嘿，其实我没病，我就是不愿意教你！”

这个传话的人尴尬不尴尬？自己都说老师病了，但老师在里面又弹又唱，声音响亮，情绪高昂。

更尴尬的是这个孺悲，他此时此刻石化在那里，不知所措。孔子为什么这样做呢？孔子一定有孔子的道理。这个可怜的小青年一定是哪个动作让孔老师看不上了，然后孔子用这种办法教他懂事一点。

《礼记·杂记下》：“恤由之丧，哀公使孺悲之孔子学士丧礼，士丧礼于是乎书。”既言“士丧礼于是乎书”，则孔子后来是接见他并教导他了。这次孔子不愿意见他，很大的可能是他“挟贵而问”。

《孟子·尽心上》：“挟贵而问，挟贤而问，挟长而问，挟有勋劳而问，挟故而问，皆所不答也。”什么意思呢？就是“倚仗着权势、倚仗着才能、倚仗着年长、倚仗着有功劳、倚仗着旧交情来问我，我都不给回答的”。

我前面讲了，不教也是教。孺悲回家反省：“今天孔老师，真是让我丢人！”他一反省，觉得肯定是自己什么地方做错了，忽然觉得孔子不就是在教他吗？所以，不教也是教。

孟子对此还做过说明。《孟子·告子下》：“教亦多术矣，予不屑之教诲也者，是亦教诲之而已矣。”我翻译一下：“教育别人有很多种方法，我有时候不屑于教你，那实际上就已经在教你。”为什么不屑于教他也是教他？因为，这个不屑于，就是故意刺激人的自尊心，让他幡然醒悟，知耻而后勇，有所作为。

不屑于教他，也让他从中了解自己的层次和水平，知不足而后学。我刚才说，这个可怜的孩子，叫孺悲，一定是哪些行为暴露出他的问题了，才招致孔子这样对待他。

◎看不上教

我们再看一个孩子，也被孔子拒绝教了。为什么呢？就是言行举止让孔子看不上。

14.44　阙党童子将命。或问子曰："益者与？"子曰："吾见其居于位也，见其与先生并行也。非求益者也，欲速成者也。"（《论语·宪问》）

意思是，有一个地方叫阙党，有一天，这个地方有个人让一个年轻人给孔子传个话。这个年轻人在孔子这边盘桓半日，最后走了。有人问孔子："这孩子是肯求上进的人吗？"孔子说："我见他趾高气扬地坐在位子上，又看见他与长辈并肩而行。这孩子不是个求上进的人，而是一个急于求成的人。"

我猜测，这个孩子一定是拿着一个有头有脸的人的推荐信来向孔子讨教，甚至可能是要来拜师的。按说，有了推荐信，孔子也接见他了，他的境况比上面讲到的孺悲好多了，孺悲是根本没有见着孔子。现在他有关系、有机会，甚至可能孔子的学生也帮着他，要孔子收他，但是最终孔子还是拒绝了他。为什么呢？

在古代，不，即使在今天，在很多正式场合，长辈大人就座时，晚辈应该站在旁边，即使坐下，也不可以平起平坐，除非老师或长辈招呼你坐。这不是什么高低贵贱之别，是一种教养，很多场合都有这样的规则。我举个极端一点的例子，主席台上有长辈、领导坐着，你也能上去随便坐下吗？你到了老师的办公室里，你的几个老师坐在沙发上说话，你能走过去，大咧咧往沙发上一坐，跟他们一起高谈阔论吗？饭桌上你能抢着坐主位吗？

很多位子不是想坐就可以随便坐的，坐下之前，想想自己，看看对方，看看场合，掂量掂量是否合适，这是一种教养。走路也一样，晚辈和下级，总要稍微靠后一点，靠边一点，让出主要位置。我们现在把这个位子叫什么？C位。

可是，这位年轻人进来后，却与大人、师长一起坐在席位上，平起平坐，走路时，也是大摇大摆，和长辈并行，可见其不仅不知礼还喜欢出风头，抢镜头。于是，孔子摇摇头："算了吧，这孩子暂时不收。"

◎ 蛮荒之地求上进

我讲了两个被孔子拒绝收为徒的可怜孩子，最后再讲一个被孔子收为徒的孩子。按说，这个孩子的条件太差。怎么差呢？我们往下面看。

7.29　互乡难与言。童子见，门人惑。子曰："与其进也，不与其退也，唯何甚？人洁己以进，与其洁也，不保其往也。"（《论语·述而》）

有一个叫互乡的地方，现在这个地方在哪里已经不知道了，这个地方名声不好，民风不好，人很难缠，很难与他们讲道理。但偏偏这个地方来了一个年轻人向孔子求教，而孔子竟然接见了他。弟子们都疑惑不解："老师不是对收学生要求很高嘛！怎么这次门槛降低了？"大家就一起去问老师。孔子说："我们要赞许他的进步，不要促使他后退。互乡民风确实不好，但我们又何必做得太过分？人家愿意改正自己以求进步，我们就要赞许他，鼓励他自我改正，不要老盯着他以往的行为。”

原来，这个孩子虽然来自名声不好的地方，但是，他勇于进步，勇于改正不良习气，并且有强烈的学习上进的愿望。这样的孩子，孔子收了！真的是有教无类了！

肯定并鼓励人现在的进步，不纠缠人过去的错误，这是圣人胸怀。但努力上进不自暴自弃，才能得到圣人的提携啊！

这一讲就讲到这里。我们知道了孔子招学生的学规，孔子喜欢有思考、会举一反三的学生。下一讲，我继续讲“有思考地问”，因为有思考地问，我们才看到了孔子的大眼光，是什么样的大眼光呢？我们下一节课再说！

第五十三讲

管仲该不该自杀?

大家好，我是鲍鹏山，我们一起接着读《论语》。

上一讲，我们本来要说“学会问”的第二要点：有思考地问。但是，后来我讲了没有思考或者不愿思考，甚至态度不端正的学生，孔子懒得理，这样的学生问了也白问。我还说到，这其实也是一种教育方法，被孔子拒绝过、敲打过，甚至像孺悲一样被羞辱过，人会懂事些，会有成长。

◎好战者死于战

提问之前，经过思考，也是对老师的尊敬。本来你自己可以想明白的事，一定要问老师，首先你态度就不对了，这时候如果老师回答你了，不是在帮助你，而是在纵容你。不但不是帮助你进步，而是纵容你懈怠，养成你不思考的坏习惯。所以，孔子课堂提问的规则之一就是：问之前，你自己努力思考过，寻找过答案吗？经过思考的提问，才是有价值的提问。比如下面这个南宫适。

14.5　南宫适问于孔子曰："羿善射，奡荡舟，俱不得其死然。禹、稷躬稼而有天下。"夫子不答。南宫适出。子曰："君子哉若人！尚德哉若人！"（《论语·宪问》）

我们先来看看他提到的这几个人。第一个人羿：上古传说中有三个羿，都善于射箭。这个地方讲到的羿，是夏朝的时候有穷国的君主。他很厉害，曾一度篡夺了夏的政权而代理夏政。但是他荒淫，喜欢打猎，并且把朝政交给寒浞管理。后来，寒浞趁羿打猎回来毫无防备，将他杀害了。

第二个人，就是奡，是刚刚提到的寒浞的儿子，是个大力士，善于水战。所以南宫适说"奡荡舟"，这个人后来也被人杀了。

在这个地方提到的第三个人和第四个人，是禹和稷。禹是夏代开国祖先。稷，是后稷，是周朝的祖先，他善于农耕，所以又被后世奉为谷神。

明白了这些以后，我们来看看南宫适问孔子的问题，他问孔子："羿善于射箭，奡善于水战，但最终都不得好死。禹、稷亲自种庄稼，从来没想过发动战争，从来没想过用战争的方法来夺取天下，却取得了天下。"孔子没回答。南宫适出去了。孔子在后面一连声赞叹："君子啊，这个人！崇尚道德啊，这个人！"

这个南宫适，我们在第二十一讲讲到过，是孔子的侄女婿。孔子之所以一下子就决定把侄女嫁给南宫适，肯定不只是因为南宫适“邦有道，不废；邦无道，免于刑戮”，一定是南宫适有更多的其他优点，比如说在这次提问里，孔子所看到的他的优点。孔子称赞南宫适：“君子啊，这个人！崇尚道德啊，这个人！”读到这个地方，我想大家就明白了，孔子把侄女嫁给他，是早就下定决心的。为什么孔子早就下定决心呢？因为孔子看出来这个人是一个君子啊。

有意思的是，南宫适这次陈述了他发现的一个现象：“羿善于射箭，奡善于水战，都不得好死。禹、稷亲自种庄稼，却取得了天下。”既然南宫适只是陈述，所以，孔子也没有回答。因为不需要回答，他这个问题本身就已经包含了答案。他在提出这个问题，描述出这个现象时，已经有了答案！那么有了答案为什么又把这个问题说给孔子呢？他只是想在孔子这里获得印证。而孔子果然就给了他一个大大的印证，这个印证就两个字：君子。

实际上，孔子之所以没有当面表扬南宫适，并且当面表达对南宫适这个观点的赞许，就是因为，在孔子看来，南宫适既然已经发现了这一现象并关注这一现象，他自己就已经有了答案：好战黩武、残民以逞的人都是不道德的、不得人心的，他们的最终失败是必然的；只有那些保护人民、安顿人民，使人民能安居乐业的人，才能最终得人心、得天下。

好战者死于战，爱民者得民心，而得民心者最终就会得天下。发现问题有时比解答问题更需要智慧，南宫适能发现问题，他当然能自己解答问题。所以，孔子对他的提问不答。在孔子看来，南宫适能提出这样的问题，不仅仅证明了他的聪明，而且还证明了他的德行。他能这样提出问题，已经表明他是一个真君子，真正尊崇道德的君子。

南宫适的问，其实在问之前，他已经经过深入的思考了，已经有所发现、有所领悟了。这就是我讲的有思考地问。有思而问，才是有价值的问。我们现在动不动说疑问，什么叫疑问？就是先疑后问。什么叫疑？疑就是思考！

读《论语》，如何判断众位弟子的优劣？有一个办法：看看他们提问时有没有动脑子，是不是有思而问。

◎管仲该不该自杀？

我们再看看下面两章，这也是有思考地问：

14.16　子路曰："桓公杀公子纠，召忽死之，管仲不死。"曰："未仁乎？"子曰："桓公九合诸侯，不以兵车。管仲之力也！如其仁！如其仁！"（《论语·宪问》）

14.17　子贡曰："管仲非仁者与？桓公杀公子纠，不能死，又相之。"子曰："管仲相桓公，霸诸侯，一匡天下，民到于今受其赐。微管仲，吾其被发左衽矣。岂若匹夫匹妇之为谅也，自经于沟渎而莫之知也？"（《论语·宪问》）

子贡和子路的这两个问题，都涉及春秋时候的一件大事，春秋时期的齐国，公子纠与公子小白二人都是齐襄公的弟弟。襄公无道，政局混乱，他们两人怕受连累，小白由鲍叔牙事奉逃亡至莒国，公子纠由管仲、召忽事奉逃亡至鲁国。齐襄公被杀后，在鲁庄公发兵护送公子纠回国即位的时候，小白用计抢先回到齐国继位，就是齐桓公。齐桓公兴兵伐鲁，逼迫鲁国杀死了公子纠。

初，襄公立，无常。鲍叔牙曰："君使民慢，乱将作矣。奉公子小白出奔莒。乱作，管夷吾、召忽奉公子纠来奔。"（《左传·庄公八年》）

鲍叔帅师来言曰："子纠，亲也，请君讨之。管、召，仇也，请受而甘心焉。"乃杀子纠于生窦，召忽死之。管仲请囚，鲍叔受之，乃堂阜而税之。归而以告曰："管夷吾治于高傒，使相可也。"公从之。（《左传·庄公九年》）

公子纠被杀后，作为公子纠的师傅之一，召忽自杀殉节。而同样作为公子纠师傅的管仲不但没有自杀，反而归顺了齐桓公，并且由鲍叔牙推荐当了齐桓公的国相。

这事在春秋时期可是一件大事，这事到孔子出生，已经接近140年，到子贡、子路问孔子对这事如何评价，这事已经过去大约180年。这么多年过去了，大家对这件事念念不忘，除了齐桓公确实功业伟大之外，还有一个话题就是：管仲到底算不算一个仁德之人？

我们来看看子路的问。子路说："齐桓公杀了公子纠，公子纠的师傅召忽自杀殉节，但同是公子纠师傅的管仲却没有自杀。管仲不够仁德吧？"再看子贡的问。子贡说："管仲不是仁人吧？桓公杀了公子纠，他没有以死殉忠，又来辅佐桓公。"

两人都纠缠于管仲不但不以死效忠，反而辅佐仇人。可见，子

路、子贡问这个问题之前，都是先有了大困惑。他们对管仲的行为有疑问。带着这样的疑问来问，就是有价值地问。有价值地问，才能获得有价值的回答。我们来看看孔子是怎么回答他们的。

孔子这样回答子路："齐桓公多次召集各诸侯国盟会，却没用武力。这是管仲的力量啊！这就是他的仁德！这就是他的仁德！"孔子还重复两遍："如其仁，如其仁。"

孔子这样回答子贡："管仲辅佐桓公，在诸侯中称霸，匡正了天下，人民到今天还在受他的好处。如果没有管仲，我恐怕已经被发左衽了！"什么叫被发左衽？就是披头散发在左边开衣襟，这是当时夷狄等落后民族的风俗和打扮。孔子的意思是："如果没有管仲带领中原文明国家一起抵抗野蛮民族入侵，我们已经野蛮化了，文明都消亡了！"

召忽自杀殉节了，这是召忽的仁，但是却不适合管仲。管仲不死，反而为之相——相者，引导者也。他引导桓公走在正道上，用孔子的话说，就是齐桓公能够做到"正而不谲"，以其坦诚和道德风范，再加上大国的威慑力，保有了天下四十年的太平，人民得以安居乐业，中原文化得以保存和发展，这才是管仲的仁啊！

这世界上，有大仁，有小仁；有大信大节，有小信小节，管仲胸有经世济民之大志大才，岂能为小信小义而轻掷生命？说到这里，我说一个轻松一点的话题。

有一天，有人问我："鲍老师，你如何评价你们鲍家先祖鲍叔牙啊？"

我说："没有鲍叔牙，就没有中国文化。"他一听，就觉得很奇怪，鲍叔牙地位有这么高吗？我说："我讲的一点都没有问题。"他说："为什么呢？"我说："你看，没有鲍叔牙，就没有管仲。这是管仲自己说的。没有管仲，就没有孔子，这是孔子自己说的。没有孔子，就没有中国文化。没有孔子，《论语》也没有了。所以，结论是：没有鲍叔牙，就没有中国文化。"我讲这番话，倒不是说鲍叔牙有多厉害，而是说管仲很厉害。但是就是这样一个厉害的人，他却被别人怀疑不够仁德。关于这个问题，钱穆先生也说过他的见解。他在《论语新解》这一章的下面，有这样一段发挥。"使无管仲，后世亦不复能有孔子。"意思是，假使没有管仲，后世就不再有孔子了。"孔子之生，而即已编发左衽矣"，孔子即使生下来，他也已经披散头发向左边开衣襟了，孔子就不可能受到那么好的传统文化的教育了，也不可能受到文明的熏陶了，也就不是我们今天看到的圣人的孔子了！

"更何有于孔门七十二弟子，与夫《论语》之传述？"就更不用说，有孔门七十二弟子，更不用说有《论语》一直传到今天了。所以，钱穆先生接着说："子路、子贡所疑，徒见其小，而孔子之言，实树万世之大教。"子路、子贡所疑问的，也只看到了一点小的东西，只看到管仲对公子纠是否有诚信，是否讲仁义，而孔子所讲的，实际上是看到了更大的东西啊！钱穆结论是："盖子贡专以管仲对子纠言，孔子乃以管仲对天下后世言，故不同。"意思是什么？子贡、子路他们只把管仲和公子纠的关系拿出来讨论，而孔子是把管仲和天下后世的关系拿出来讨论。管仲固然对公子纠可能有一点不忠，但是管仲对于天下，真是做到了大仁、大义啊！管仲是要忠诚于一个公子纠，还是要忠诚于天下后世呢？这就是孔子的大眼光！

这一讲我们就讲到这里，下一讲，我会讲讲作为人，我们一辈子都要记住的话，我们下一讲见！

第五十四讲 鬼神之事

大家好，我是鲍鹏山，我们一起接着读《论语》。

上一讲，我讲了《论语》中几个有思而问的例子，像南宫适、子路、子贡，我们还真要感谢他们这样的提问。因为，在这样的提问里，我们才能看到孔子思想的深邃和博大。智慧只有在思想和思想的碰撞中才能闪出火花，照亮世界。我们设想一下，假如孔子的学生都是一些麻木不仁的、懒于思考的、境界很低的、见识低下的，净问一些没有什么水平的问题的人，那么孔子如何能展现他的智慧呢？孔子曾经说过这样的话：

6.21　子曰："中人以上，可以语上也；中人以下，不可以语上也。"（《论语·雍也》）

孔子说："中等智慧以上的人，可以和他谈一谈高深的道理和学问；中等智慧以下的人，不可以和他们讲那些高深的道理和学问。”

《论语》就是记录孔子的“语”，孔子对学生和其他求教者的语，都是人生的上等智慧。我们想象一下，假如这些学生和提问者都是“中人以下”，《论语》这本书还会有上等的智慧吗？

那么，什么叫“中人以上”呢？什么样的人才算得上“中人以上”的人呢？是善于思考、乐于思考、勤于思考的人！

◎ 己所不欲，勿施于人

在《论语》里，最精彩的一次有思而问的人，还是子贡：

15.24　子贡问曰：“有一言而可以终身行之者乎？”子曰：“其恕乎！己所不欲，勿施于人。”（《论语·卫灵公》）

子贡问道：“老师，有一句话可以让人终身奉行的吗？”孔子说：“那就是恕吧！己所不欲，勿施于人。”一个能想到“一言而可以终生行之”这样问题的人，是什么人？是一个能够思考人生的人，是一个对自己的人生负责的人啊。天天想着这样问题的人，他的人生才有意义，才不会虚度！

读《论语》读到这样的一章，读到子贡能问出这样的问题，你还觉得子贡的厉害只是在于他能赚钱、能搞外交吗？子贡真厉害的地方，就在于他和孔子说话时体现出来的他思考问题的高度和深度！你以为他整天想着怎么赚钱吗？赚钱对他来说只是很业余的事儿，连孔子都说这小子怎么随便做做就挣这么多钱。他整天想的，就是人生的意义！

而面对子贡的这个提问，孔子给出的，是全世界不同民族，不同国家，不同人之间和平相处的黄金法则啊！

在联合国总部走廊有一幅壁画，画作的题目是 *The Golden Rule*（《黄金法则》），内容是这样一段话："Do unto others, as you would have them do unto you." 如果用中文来说的话，它的意思就是："你们愿意人怎样待你们，你们也要怎样待人。"这段话出自《新约圣经》（*The New Testament*），是耶稣讲给他的门徒的。

这段话如果用汉语翻译，最完美的，就是"己所不欲，勿施于人"。注意，孔子这八个字是讲给他的弟子子贡的，而耶稣的这段书，也是讲给自己的门徒的。这都是金玉良言。但是，有一点要注意，孔子讲这一句话，比耶稣讲这句话早了四百多年。

但是，我还是要提醒你，孔子的答，是人间大智慧，而子贡的问，问出了这个人间大智慧。就这一点而言，我们是不是要感谢子贡呢？

◎政治家的良知

子贡是一个有独立见解的人。我们来看看下面这一章：

19.20　子贡曰："纣之不善，不如是之甚也。是以君子恶居下流，天下之恶皆归焉。"（《论语·子张》）

子贡说："商纣王的不善，不像传说的那样严重。所以君子非常害怕居于下流，因为一旦居于下流，就会像商纣王一样，天下的所有的恶名都归到他头上了。"

我们现在都知道商纣王是一个昏聩、残暴的君王，但是你们知道吗？实际上，商纣王还真有不少的功劳，他拓展了东方疆域，对中原文化的发展和中国的统一，都做出过贡献。就本人的素质而言，他还真的不是完全昏聩无能，而是文武全才。可是有一个问题，既然这样，我们为什么全都不念他这些好，而众口一词地斥骂他为暴君呢？子贡告诉我们，因为他残暴地压迫人民，镇压人民。而凡是压迫人民的，不论在其他地方有什么功绩，都会一笔勾销，一票否决！

所以，评价一个当权的统治者，首先看他对当时的老百姓如何，而不是看他留下什么历史遗产。如果因为他们有什么历史遗产就给予他们很高的评价，那么，秦始皇还造了长城呢，我们能说他是一个好皇帝吗？不可以，只要他残酷对待当时的老百姓，他就是暴君，留下再长的长城也不行！孟姜女哭倒长城，就是对榨取人民、残民以逞的所谓历史功绩的推翻！

这一段话，子贡的独立见解表现在两个方面：第一，对历史事实，他认为商纣王一定不像一般历史记载和传说那样一无是处，他也一定做过一些有价值的事。

第二，既然他做过一些有价值的事，为什么还被当时的人推翻，被后世的人痛骂，遗臭万年呢？因为他残民以逞。

什么叫残民以逞？就是残害人民，以逞一己的野心，包括什么建功立业、开疆拓土、一统江山等等！为了这些所谓的野心、所谓的梦想，残害人民的这种人，都一定会被钉在历史的耻辱柱上。我刚刚讲孟姜女哭倒长城，实际上是一个文学故事。但是这一个文学故事，比历史的故事还要真实，因为它巨大的内涵是只要有一个民女痛哭，这个长城就只能坍塌。这就是我们先民伟大的良知，也应该称为后来的政治家的良知。

凡是用榨取人民的方式实现的功业，不管是多么巨大的功业，都是罪孽，都是罪行！这样的人，不是什么有功之人，而是罪该万死！我们为什么要有这样的历史观呢？因为这样的历史观，可以阻止一些野心家苛酷待民，榨取人民以留下自己的历史功绩。

子贡这句话，就是以商纣王为例，在警告当时的当权者，也是在警告未来的帝王将相！

◎鬼神之事

除了子贡，子路也是一个善问的人。按说，子路是一个比较注重实效、讲究实际、务实不务虚的人，但是，有意思的是，偏偏是他问了一些非常形而上的高级问题，有时连孔子都觉得他太虚无了。比如下面这一章：

11.12　季路问事鬼神，子曰："未能事人，焉能事鬼？"曰："敢问死？"曰："未知生，焉知死？"（《论语·先进》）

子路没问如何与同学、老师、领导、同事相处，没问如何与家人亲戚相处，实际上，我们说，他在这方面还真是有很多不足的。这个人性情刚猛，所以孔子就曾经警告过他，"朋友切切偲偲，兄弟怡怡"。这一讲是在 13.28 那一章里，你们也可以去看一看。

他在这一方面实际上做得不大好。但是，他偏偏没问，他问什么呢？他在这儿问的是怎样事奉鬼神，怎么与鬼神相处，这个问题是不是有点虚啊。所以，孔子对他说：“你还不能把人事奉好，人际关系都处得不怎么样呢，还怎能事奉鬼？”

其实，子路问事鬼神这一章的前面，接连四章（11.8、11.9、11.10、11.11），都是讲颜渊的死亡，所以估计子路问事鬼神，问死，也是在这个大背景下发生的。颜渊死了，子路也老了。这个强亢一生的人，看到比他小21岁的颜渊竟然衰病去世，已经62岁的他，不免有了迟暮之感。他原先是天不怕，地不怕的，但他现在也想事奉鬼神了。孔子大约看出了子路内心精神的衰退，便想拉他一把，推他一掌，把他从衰老和死亡的阴影中推出来。但子路心中死亡的阴影大约太沉重了，看到老师不愿意跟他谈事奉鬼神，于是他又动情地问老师：“老师，那您给我谈谈死亡吧。”孔子说：“你怎么会想到这个问题呢？你的人生还长着呢！你还没有活够呢！怎么做人、怎么做事的道理你还不明白呢！还有很多事业等你去完成呢，别急着去想死的问题！”

这种拒绝，这种斥责式的语气，实际上是孔子对子路的安慰。孔子知道若不能拂去子路心头死亡的阴影，便只有用生的光芒去覆盖这阴影。但效果怎样呢？《论语》中到此就戛然而止了。我猜想，大约是子路站起来，默默地走开了吧。而孔子望着子路的背影，想必心中也是一片苍凉。

现在，两千多年过去了。孔子对子路的回答“未能事人，焉能事鬼？”和“未知生，焉知死？”都成了我们探究孔子思想的重要角度，并且成为我们中国人重视现实人生的人生哲学的依据。孔子的回答，包含着深刻的思想和高明的智慧。但是，同样地，如果没有子路对人生的困惑和发问，我们又哪里能听得到孔子这样的话呢？

所以，《论语》不是孔子一个人的言论，是孔子和他弟子们的言论，《论语》里不光孔子的回答有价值，弟子们的提问也很有价值。没有弟子们有价值的提问，就没有孔子这些深刻的回答。读《论语》，我们感谢孔子给我们的智慧，也要感谢他的这些会提问的弟子们。是他们的问，发掘出了孔子的智慧！

这一讲就讲到这里，下一讲，我讲讲另类的人对孔子提出的“另类的问”，很有意思，我们下一讲再说！

第五十五讲

风吹草动

大家好，我是鲍鹏山，我们一起接着读《论语》。

上一讲，我讲了孔子的两个弟子子贡、子路对孔子的提问，他们的问题，包含着他们对人生的思考，是有价值、有深度的问题。孔子据此作答，就答出了有深度、有高度的人生智慧之言。所以我们说，孔子的教育，并不是单方面的老师教学生，而是孔子这个老师和他的弟子们共同完成的。没有弟子们有价值的问，也就没法激发出老师有价值的答。好的教育就应该是师生双方共同参与，一起完成的教育，用孔子的话说就是“教学相长”。

《论语》的“语”，可以理解为名词“语言”或者“言语”，也可重读，读成第四声的“语”，是“告诉”的意思。所以，《论语》就是“孔子的告诉”，有人提出有价值的问题，然后孔子做出有价值的回答，这一问一答，被记录下来，就是《论语》。

◎何为则民服？

当然，孔子在那时，被人看作圣人，看作智慧的源泉，凡人有不明白或困惑的事，都要来问问孔子。不同的人来问，会有不同的问题；不同立场的人，会有不同立场的问题。比如，鲁国的国君鲁哀公和鲁国的执政大臣季康子，作为鲁国的最高统治者，他们的问题，就很有统治者的特色：他们老是问如何统治人民。这可以算是一种“另类提问”。

有一次，鲁哀公问了孔子一个问题：

2.19　哀公问曰：“何为则民服?”孔子对曰：“举直错诸枉，则民服；举枉错诸直，则民不服。”（《论语·为政》）

哀公的问题是不是很另类，是不是很能体现他自己的身份和诉求：“怎样做才能使百姓服从?”这真是一个很糟糕的问题。作为国君，他想到的，是如何制服老百姓，让老百姓服从他，并且用这个问题请教孔子。在我看来，这是对孔子的不敬，因为孔子本来是帮助人民，站在人民这一边的。孔子是帮你出谋划策收拾老百姓的吗?

但是孔子还是回答了，我们看看孔子的回答。孔子答：“举直错诸枉，则民服；举枉错诸直，则民不服。”用现在的话说，就是“举用正直的人，把他们放在不正的人的上面，当领导，百姓就服从；如果把不正的人放在正直的人上面做领导，百姓就不会服从”。

按说，一问一答，按说就可以了，但是，有意思的是，孔子买一送一，还附送了一句：“举枉错诸直，则民不服。”

从“举直错诸枉，则民服”这个回答来看，孔子是在告诫鲁哀公，人民并不是服从权势，而是服从真理，服从正义。所以你不要想着让人民服从你，不要想着你有权势了，人民就会服从你。权势的压服并不能改变天赋的良知。哪怕人民不得不暂时屈服，可是人民心中仍然向往光明。这和法家如韩非认为人民总是屈从权势而不是向往正义就形成了鲜明对比。（参见韩非《五蠹》）而且，你要注意，哀公之问，立足于统治者如何管制人民；孔子之答，立足于统治者如何做好自己。哀公之问，是讨教使人民服从的方法；而孔子的回答，是向鲁哀公讨还人民服从的条件。

再看“举枉错诸直，则民不服”，这是孔子赋予了人民不服从的权利。孔子这次回答鲁哀公的最大价值，恰恰是他附送的这句话。有了这句话，孔子就不仅仅是在指点鲁哀公做事要公正，最重要的是，孔子赋予了人民不服从的权利，他其实是在告诫鲁哀公：只要统治者不公正，人民就可以不服从。你知道孔子这个思想有多伟大吗？

2 300 多年后，19 世纪中叶，美国作家亨利·戴维·梭罗（Henry David Thoreau，1817—1862）发表了著名的《论公民的不服从》，在这篇文章里他宣称：一个公民如果认为法律是不公正的，有义务拒绝服从。不服从，不仅是公民的权利，甚至是公民的义务。这一理论，后来在世界各国的非暴力抗议运动中都得到了使用，极大地推动了世界的进步。

可是你读了《论语》就知道，这种人民有权不服从的理论，在两千多年之前，在公元前5世纪，孔子已经说出来了！

◎虞人不应召

《孟子·滕文公下》讲过一个故事：

> 孟子曰："昔齐景公田，招虞人以旌，不至，将杀之。志士不忘在沟壑，勇士不忘丧其元。孔子奚取焉？取非其招不往也。"

齐景公打猎，用旌旗召唤虞人（猎场管理员），虞人看见了，但不予理睬，齐景公发怒要杀他。为什么这个虞人不应召呢？因为古代君王打猎时若有所召唤，要用特定的东西召唤特定身份的人，旌旗是召唤大夫的，弓是召唤士的，皮冠才是召唤虞人的。这个虞人因为齐景公不按礼的规定召唤他，就坚持不应召，甚至为此不怕被弃尸山沟，不怕掉脑袋。孟子说，对于这种坚持规则的不服从，孔子很欣赏。

我们来看一看，人民有不服从的权利，有哪些好处呢？

第一，可以让统治阶级不至于胆大妄为，制定政策的时候有所收敛，不会太荒唐。因为荒唐的东西会激起人民的反抗，而人民有权利反抗。所以我们说，这是对权力的制约，是一种前置的平衡，为什么我说是一种前置的平衡呢？在没有失衡前，就先把它平衡住了，在一个荒唐的政策出来之前，这个平衡就开始发生作用了。

第二，可以支持、保护和鼓励人民运用自己的理性来约束统治阶级，从而整个社会有理性，国家有理性，不至于因为一个君主或一个统治集团的疯狂和胡闹而导致国家走向崩溃。

为了说明第二点，我们再来看看《论语》中的这一章，这是鲁定公问孔子的问题：

13.15 定公问："一言而可以兴邦，有诸？"孔子对曰："言不可以若是其几也。人之言曰：'为君难，为臣不易。'如知为君之难也，不几乎一言而兴邦乎？"曰："一言而丧邦，有诸？"孔子对曰："言不可以若是其几也。人之言曰：'予无乐乎为君，唯其言而莫予违也。'如其善而莫之违也，不亦善乎？如不善而莫之违也，不几乎一言而丧邦乎？"（《论语·子路》）

这段文字比较长，说的是这样一件事。有一天，鲁定公问了孔子一个问题："一句话就可以使国家兴盛，有这样的话吗？"孔子回答说："话怎么可以这样理解呢？不过我举个例子，有人说：'为君难，为臣不易。'如果一个君主通过这句话，知道了做君主的难处，然后勤勉为国，这不就接近于'一句话就使国家兴盛'吗？"鲁定公又说："一句话就可以丢掉国家，有这样可怕的话吗？"孔子回答说："话不可以像这样理解。举个例子，比如人们说：'我做君主并没有什么可高兴的，只是高兴我做了君主以后说话没有人违抗。'如果君主说的话正确，而没有人违抗，当然很好。可是，如果君主说的话不正确，再没有人违抗，不就接近于'一句话就可以丢掉国家'吗？"

这一段孔子和鲁定公之间的问答，君主的"一言"，竟至于可以丧邦，为什么呢？原因在于当君主不允许别人提不同意见时，君主的错误就不可能得到纠正。最终，国家灭亡，或者最终，君主被推翻，丢掉国家。所以，人民有不服从的权利，是一个国家保持理性、长治久安的必要条件！

◎孔子不对

其实，鲁哀公还问过一个很奇葩的问题，什么问题呢？这个记载在《孔子家语》里。鲁哀公问的问题是“昔者舜冠何冠乎？”——以前，舜戴什么样的帽子啊？舜是古代很圣明的天子，鲁哀公不关心别的，却关心天子戴什么帽子。

这简直是把无聊当有趣。孔子对这样的问题，态度很简单，“孔子不对”。——不予理睬，装没听见，弄得鲁哀公很不满也很不解。于是鲁哀公说：“寡人有问于子而子无言，何也？”——“孔先生，我在问您问题呢，您为什么不理我呢？”孔子含蓄地揶揄道：“以君之问不先其大者，故方思所以为对。”——“因为你问这么一个无聊的小问题，对真正的大问题却不闻不问，我在想着怎么回答你呢。”

鲁哀公是不会问问题，他问了一个在孔子看来是小问题的无聊问题。我们前面讲过，会问才有学问，鲁哀公就不会问，这就叫没学问。听到孔子这么教训他，鲁哀公马上就问了“其大何乎？”——“那么，什么是真正的问题呢？”

孔子告诉鲁哀公：舜的时候，他的政治是爱惜生命而厌恶杀戮，他用人的原则是以有才能的人替换无才能的人。他的仁德像天地一样广大而又清净无欲，他的教化像四季一样使万物变化。四海之内都接受了他的教化，甚至遍及动植物之类，凤凰飞来，麒麟跑来，鸟兽都被他的仁德感化，你知道为什么吗？“无他也，好生故也。”——“没有别的什么诀窍，就是两个字：好生。”

鲁哀公问于孔子曰：“昔者舜冠何冠乎？”孔子不对。公曰：“寡人有问于子，而子无言，何也？”对曰：“以君之问，不先其大者，故方思所以为对。”公曰：“其大何乎？”孔子曰：“舜之为君也，其政好生而恶杀，其任授贤而替不肖，德若天地而静虚，化若四时而变物，是以四海承风，畅于异类，凤翔麟至，鸟兽驯德。无他也，好生故也。君舍此道而冠冕是问，是以缓对。”

◎风吹草动

孔子之所以对鲁哀公说舜的政治是好生而恶杀，是因为当时鲁国的政治很残暴，动不动就要杀人。

鲁哀公的执政大臣季康子就是一个很喜欢杀人的人，有一次，他还拿这样的问题来问孔子：

12.19　季康子问政于孔子曰：“如杀无道以就有道，何如？”孔子对曰：“子为政，焉用杀？子欲善，而民善矣。君子之德风，小人之德草。草上之风，必偃。”（《论语·颜渊》）

我读《论语》，总是能够感觉到孔子对季康子说话时，是带着刺，带着脾气，当然，孔子和季康子的祖父、父亲都共过事，所以，季康子也算是孔子的孙子辈。孔子确实也有居高临下的资格。但是，季康子毕竟是大夫，而且是鲁国最有权势的大夫，孔子此时只是一个士，按说，遵从礼仪的孔子应该对季康子有足够的恭敬才对。但是，我们看到的却是孔子总是用教训的口气和季康子说话。为什么孔子对季康子这么严厉呢？你们看看季康子问的都是什么问题：“如果我去杀人来迫使人民走上正道，可以吗？”这样混账的话都能说得出来，还能怪孔子不给他面子吗？

我们看看孔子的回答：“你执政，哪里用得着杀人呢？你要是行善政，百姓自然也就善了！君子的品德如同风，小人的品德如同草，草上有风吹过，草必然随风顺伏。草往哪个方向倒，不是草的责任，是风的责任！”你们看，孔子的话，带着脾气啊。他正告季康子：“社会风气的好坏，根源在于你这样的统治者！你还杀人？你要杀就先自杀吧。”

这一讲就讲到这里。从这一讲，我们知道人民有不服从的权利，人民可以反抗。下一讲，我讲一个有趣的话题，你们觉得一个人可以被欺骗吗？我们去听听孔子的看法！

第五十六讲 君子可欺

大家好，我是鲍鹏山，我们一起接着读《论语》。

上一讲，我讲了《论语》中的“另类提问”，讲了鲁哀公、鲁定公、季康子这几个鲁国“政治活宝”对孔子的提问。显然，他们都是代表着统治者，从自身的立场和利益出发向孔子提问。我为什么说他们是“另类提问”呢？因为，孔子的学生，提问都是立足于自身学问的提升、道德境界的提升和自己人格的建立，而这三个人的提问，则是立足于如何管制老百姓，维护自己的统治。简单地说，孔子弟子的提问，是“为己”，为了提升自己；而他们的提问，是“为人”，是为了管制他人。对于这样的提问，孔子一点也不虚与委蛇，而是正色相告：“如果你们不直、不正，人民就可以不服、不善。”我们看看这一章。

◎鲁国第一大盗

12.18　季康子患盗，问于孔子。孔子对曰："苟子之不欲，虽赏之不窃。"（《论语·颜渊》）

季康子为鲁国出现很多盗贼而烦恼，就向孔子询问："孔先生你说还不能杀人，这些盗贼怎么办？"孔子本来就对季康子以及他家族的贪权夺利没好气，马上就怼回去了："假如您不贪得无厌，就是奖励盗窃，也没有人去干。"意思就是，人民当盗贼，还不是你带坏的？你还患什么盗？你就是鲁国第一大盗！你还抓什么盗贼？你把自己抓起来管制好就好了！

《道德经》第七十五章：

> 民之饥，以其上食税之多，是以饥。民之难治，以其上之有为，是以难治。民之轻死，以其上求生之厚，是以轻死。

这段话的意思是说，百姓所以饥饿是因为当权者消耗赋税过多，所以才饥饿。百姓所以难以治理是因为当权者胡作非为，所以才难以治理。百姓不怕死是因为当权者要求过穷奢极欲的生活，所以才不怕死。这是儒道两家共同的政治良知。

对于政治，孔子有一个经典的定义，就是对着季康子说的，从有问才有答的角度说，这可以算是季康子这个颟顸、傲慢的人对《论语》的一大贡献啊。

12.17　季康子问政于孔子。孔子对曰："政者，正也。子帅以

正，孰敢不正？”（《论语·颜渊》）

季康子向孔子问怎样为政。孔子回答道：“政，就是正。不正的东西都不是政。您带头走正道，谁敢不走正道？”政，就是正——用合法正当的手段推行公正和正义，倡导公平和平等，这才是政治。而什么手腕、权术等等，这些不正的东西都不是政治。所以，如果你正了，谁敢不正？你都不正，还讲什么政治？政治政治，就是正着去治，而不是歪着去治。

大家注意到了吗？孔子对于这些“另类提问”，他的回答有一个非常值得我们注意的特点，就是他并不是顺着对方的逻辑来作答。如果顺着对方逻辑来作答，那么，鲁哀公问“何为则民服”，孔子就要跟他讲怎么去管制人民，而不是用“举直错诸枉”来纠正自己，更不会说到“民不服”。如果顺着季康子的逻辑来回答，可能孔子就要给对方出主意，想出用什么办法来让人民服服帖帖。这样做，孔子就不是孔子而是商鞅、韩非了。商鞅和韩非，帮着统治者出主意，让他们用各种手段来收拾人民。这个地方，商鞅、韩非我就不说了，因为他们的文章从头到尾都是这样的主张，你们可以去读一读。我举另外一个例子，是《吕氏春秋》里面所讲到的一个故事。

> 宋王谓其相唐鞅曰：“寡人所杀戮者众矣，而群臣愈不畏，其故何也？”唐鞅对曰：“王之所罪，尽不善者也。罪不善，善者故为不畏。王欲群臣之畏也，不若无辨其善与不善而时罪之，若此则群臣畏矣。”居无几何，宋君杀唐鞅。唐鞅之对也，不若无对。

战国时候，宋国的最后一代国君，我们称他宋王偃，这个人啊，对内残杀百姓，对外到处挑衅。有一天，他对他的宰相唐鞅说："我杀的人已经很多了，但是大臣们却不害怕我，这是为什么呢？"他这个问题，是一个很糟糕的问题，杀人很多了，他不反思自己的残暴，还在想杀人的效果怎么还不那么显著，还不能够让大臣们怕他。能够问出这种问题的人，就是一个罪恶滔天的人。那么唐鞅怎么回答呢？唐鞅说："大王您杀的人，都是所谓有罪的人。因为您只杀有罪的人，所以无罪的人就不害怕您。大王要是想让群臣都害怕您，不如从今以后，不分好坏而杀之，这样群臣就害怕了。"

唐鞅就是顺着宋王偃的逻辑来回答问题：怎么让人怕呢？乱杀一气。唐鞅是助纣为虐了。结果呢？这个宋王还挺有幽默感，他先把唐鞅给杀了。对唐鞅来说，他真是活该啊。对宋王来说，我倒觉得，这可以算作他一生杀人无数之中唯一的一次杀对了。为什么呢？因为这个唐鞅该杀呀！顺着宋王的逻辑走，你就该杀。

《吕氏春秋》在这个故事后，加了一句评论："唐鞅之对也，不若无对。"意思是唐鞅的回答，还不如不回答。面对那么一个荒唐的、残暴的国君，你的回答本来应该是帮助他纠正他的罪过，你反而是引导他更加放纵，所以这种回答还不如不答复，结果还把自己的脑袋给弄丢了。

我讲这个故事就是要说明，对于那些"另类的"、荒唐的、不合理的提问，我们不能跟着别人的逻辑走，否则，就会被带到邪路上去了。这一点，孔子是个典范。对于鲁哀公、季康子这类另类人物的"另类提问"，孔子保持了足够的警惕。然后，在回答这类"另类问题”时，他坚守正道，给出了非常有价值的回答。

◎君子可欺

其实，“另类提问”不仅来自外人，即使孔子的学生，也可能会出现这样的“另类提问”。我们来看这一章：

6.26 宰我问曰：“仁者，虽告之曰‘井有仁焉’。其从之也？”子曰：“何为其然也？君子可逝也，不可陷也；可欺也，不可罔也。”（《论语·雍也》）

有一天，孔子的学生宰我问了孔子一个很愚蠢的问题：“老师，一个君子，假如我们骗他：‘有人掉到井里啦！’他会马上跳下井去救人吗？”孔子皱眉回答说：“怎么会呢？君子可能会马上跑过去看一看，但不会糊里糊涂往下跳。我告诉你，君子可以被欺骗，但是君子不会被愚弄。”

我之所以说宰我这个问题很愚蠢，是因为真有一个关于猪的故事。猪和猫是好朋友，有一天，猫掉进大坑里，爬不上来了，猫就喊猪去救他。猪拿来了绳子，猫跟猪说：“你把绳子扔下来。”结果猪就把绳子整捆扔了下去。猫很郁闷，说：“你把整捆绳子扔下来，怎么拉我上去？”猪说：“那怎么做？”猫说：“你应该拉住绳子的另一头啊！”猪一听，马上就跳下去，拿了绳子的一头，说：“现在可以了！”猫就哭了，并且猫哭得很幸福，对猪说：“你确实不是很聪明，但是，你却值得我终生拥有啊。”

这个故事，和宰予说的，是不是相像啊？但是，有一个很大的区

别，这个故事里，猫确实掉进坑里了，所以猪跳进去，猪虽然不够聪明，但是我们可以看出他对朋友的爱心。但是在宰予的故事里，没有人掉进去，这只是一个骗局。不用说有智慧的君子，就是一个有着正常智力的普通人，他也不会不看看井里是否真的有人，就一下子糊里糊涂地跳下去吧。

但这段对话的价值不在于说明宰予的这个没内涵的问题，也不在于孔子对君子是否入井救人的回答，而在孔子的“君子可以被欺骗”的观点。

有意思的是，孟子竟然也持这种观点。孟子有句名言：“君子可以欺以其方。”（《孟子·万章上》）就是说，君子可以被人用正当的理由，用合情合理的骗局欺骗。

孟子举过一个例子。郑国国相子产，不仅仁德，还很智慧。有一天，有人给子产送来一条活鱼，子产仁慈，不忍心吃，就让手下的一个小官吏把鱼拿到院子里的池子放生。这个人拿到这条鱼，却没有把鱼放生，而是弄回家自己偷偷煮着吃了。第二天，子产见到他，就问：“那条鱼放生了吗?”他回答说：“已经放生到水池里了。”为了增加这个谎言的可信度，他接着编造说：“那鱼啊，挺逗。一开始放到水里，半死不活的，过了一会儿，它就恢复了生气，摇头摆尾地游走了。”子产一听，很高兴：“得其所哉！得其所哉!”意思是这个鱼终于到它该去的地方了。

> 昔者有馈生鱼于郑子产，子产使校人畜之池。校人烹之，反命曰：“始舍之，圉圉焉；少则洋洋焉，攸然而逝。”

子产曰："得其所哉！得其所哉！"（《孟子·万章上》）

这个把鱼吃掉还骗人的小官吏真是个小人。欺骗子产这样的忠厚君子，他不仅毫不惭愧，反而觉得子产愚蠢可以欺骗。他出来以后，洋洋得意地对别人讲："谁说子产聪明呢？我明明把鱼吃到肚子里去了，他还连声称赞，鱼到它该去的地方去了，鱼到它该去的地方去了！难道鱼该去的地方就是我的肚子吗？子产真是可笑啊。"

我把这个故事讲完了，现在你们想一想，在这个故事里究竟是子产可笑，还是这个小官吏可恶？子产让他把鱼放了，他答应后不仅没有照做，违背承诺，还把谎话编得活灵活现，合情合理。一个人，把别人对他的信任看成愚蠢，这个人希望别人把他看成什么样的人呢？而子产，对小官吏的鬼话很相信，你们觉得子产愚蠢吗？他让手下的小官吏把鱼放生了，小官吏回话说真的就放生了，子产有什么理由不相信呢？

记住啊，合情合理地相信别人，不仅是仁者，也不失为智者。子产这样的人，在被小人欺骗之前，他已然站在小人无法企及的高处。用合情合理的谎话欺骗别人的人，不仅是佞者，还是愚者。他在损害别人之前，自己先就堕落了。

君子不怀疑正当的东西，不质疑合情合理的东西，因为，维护一个社会基本的信任底线，比防范受骗还要重要。

这一讲就讲到这里，最后，我留一个小问题：你们觉得，信任是建立在什么基础上的呢？下一讲，我讲一讲套路，看看孔子是怎么应对套路的。

第五十七讲

避开陷阱

大家好，我是鲍鹏山，我们接着读《论语》。

第五十五讲，我讲了《论语》问答中孔子的“另类回答”，紧接着讲了“另类提问”。我主要是说，我们不仅要学着问，还要学着答。问要有水平，答也要有价值。并且，答的时候，要小心，因为，人家的问里，可能有个预设的陷阱，有个套路或者有着他的逻辑。如果你不能觉察，掉进这个陷阱，或者你被别人的逻辑带进去了，你就不知不觉上当了。

◎ 不谈禁忌话题

在这儿，我先举一个跳过陷阱的例子。这个例子是关于孟子的。有一天，齐宣王好像随意聊天，装作漫不经心地问了孟子一个问题：

“齐桓公、晋文公的事，您老可以和我谈一谈吗？”齐桓公、晋文公，是春秋时期的两个霸主。你要是以为齐宣王只是让孟子给他讲讲历史课，你就上当了。他是借历史来谈现实：表面上谈齐桓、晋文之事，其实是想像齐桓公、晋文公一样，搞称霸，以武力来征服天下呢！按说，孟子是个历史控，最喜欢谈古论今了。所以，齐宣王以为这样一伪装，孟子一定会上当，然后侃侃而谈。但是孟子是何等警觉的人啊，是何等敏感的人啊！孟子一听齐宣王谈这样的话题，他心里冷冷一笑：“你小子还想套住我？”然后悠悠地说：“孔子的弟子没有谁谈起齐桓公、晋文公的事。所以，他们的事，后代没有记载，我也就没有听说过。”

孟子的这句话，是绵里藏针啊！为什么？因为孟子把齐桓、晋文说成是自家门派的禁忌话题了。既然是我们儒家的禁忌话题，齐宣王冒冒失失地跟我说起来，这是不是犯忌啊！犯忌也就算了，你还犯贱啊，为什么呢？因为，我们儒家门派之所以不谈齐桓、晋文之事，就是因为这两个人的境界太低，根本不值一谈，我们根本不屑于谈他们，而你对他们津津乐道，不是犯贱吗？

说完这些，孟子把话头一转：“看来今天你兴致不错，也没有什么要事，那好啊，我们就谈谈‘王道’好吗？”

> 齐宣王问曰：“齐桓、晋文之事，可得闻乎？”
>
> 孟子对曰：“仲尼之徒无道桓、文之事者，是以后世无传焉，臣未之闻也。无以，则王乎？”（《孟子·梁惠王上》）

这一段，你看明白了吗？孟子拒绝了齐宣王的话题，把他关于称霸的话题扼杀在萌芽状态，然后，逼着齐宣王跟着他的话题：谈王道。

孟子意识到对方的谈话陷阱，然后他机警地跳过陷阱，而且接下来把对方拉进自己挖下的陷阱。这场谈话，从此而下，全是孟子在掌控。孟子掌控话题，掌控节奏，掌控逻辑。齐宣王一直被动地跟着孟子在走！这是高水平的谈话技巧啊。

◎孔子护君

说完了孟子，我再讲一讲关于孔子的一个故事。在这个故事里，孔子也意识到对方的陷阱，但是，他不是跳过去或避开陷阱，恰恰相反，他坦然地走进了这个陷阱。这个故事，我们以前在第三十四讲讲过，我们再复习一下：

7.31　陈司败问："昭公知礼乎?"孔子曰："知礼。"孔子退，揖巫马期而进之，曰："吾闻君子不党，君子亦党乎？君取于吴为同姓，谓之吴孟子。君而知礼，孰不知礼?"巫马期以告。子曰："丘也幸，苟有过，人必知之。"（《论语·述而》）

孔子周游列国，到了陈国，陈国司寇陈司败居心叵测地问孔子："贵国过世的鲁昭公知礼吗？"陈司败的问话里，就包含着一个陷阱：因为鲁昭公娶了同姓吴国的贵族女子为妻，在那时，同姓婚娶，是不合礼的。

陈司败明明知道这个不合礼，他为什么还要来问孔子呢？他是要拿这个话题来把孔子套进去，想看看孔子怎么回答。没想到，孔子淡然而确定地回答：“知礼。”

其实，面对陈司败居心叵测的询问，孔子岂能不知这个询问中包含着一个阴险的陷阱呢？孔子只要回答三个字，“不知礼”，他就可以安然地跃过这个陷阱。但是，没想到，孔子回答的是两个字：“知礼。”他自己坦然地走进了陈司败给他设计的这个陷阱。为什么呢？

因为，孔子有孔子的思路，有孔子的境界。他之所以这么做，是要维护一个失势的并且已经悲哀地去世的国君，一个父母之国的国君，一个有恩于自己的人。所以，他宁愿自己跳进陷阱，也要维护鲁昭公。当孔子跳进陷阱并站在陷阱中时，他就已经高踞在陈司败够不着的境界之上了。

我以前说过一句话：面对小人的挑衅，我们要的，不是打得过小人，而是要高得过小人。

我们看看，孟子和齐宣王的谈话，是孟子控制了对方；而孔子和陈司败的谈话，是孔子超越了对方。

◎站在正义那一边

说谈话不要跟着别人逻辑走，我们再看看《论语》的这一章：

3.13　王孙贾问曰：“与其媚于奥，宁媚于灶，何谓也？”子曰：“不然。获罪于天，无所祷也。”（《论语·八佾》）

我先解释一下，这个王孙贾问的话里出现了两个词：“奥”和

“灶”。“奥”，本义指房子的西南角。这里指家里西南角的神灵，古人迷信，认为家里到处都有神灵。西南角也有神灵，就叫奥神，下面的“灶”，指的是厨房里的灶神。

这个卫国大夫的问题是这样的：“我听说，与其讨好房屋西南角的奥神，还不如讨好厨房里的灶神，是这样吗？”孔子说：“不是这样的。如果得罪了上天，你无处求保佑。”

我们来看一看，王孙贾的逻辑是二选一：在奥神和灶神之间选一个，选边站。但孔子不理睬这个逻辑，他根本就不信这个逻辑。那么孔子的逻辑是什么呢？

孔子的逻辑是：人生在世，不是要去讨好谁，巴结谁，不去得罪谁，连鬼神也不要讨好巴结，因为做了坏事，你讨好巴结谁也保佑不了你。人生在世的关键在于：做正直的人。不是站在任何一边，而是要站在正义那一边。

行得正，做得好，就不必怕天，也不必怕人，反之，没有什么人或神能保佑你。

人生在世，能保佑我们的，不是鬼神和他人，而是我们自己的德性。所以，在6.19章，孔子说过这样的话：

6.19　子曰：“人之生也直，罔之生也幸而免。”（《论语·雍也》）

孔子说：“人的生存依赖于正直，但是为什么还有不正直的人也活着，也没见他倒霉呢？很简单，他们只是侥幸避免了祸患。”

◎藏富于民

孔子这一类不进圈套的故事，《论语》中还有很多，我就不再举例了。我下面说一个他学生跳过陷阱的例子。谁呢？就是那个长得特别像孔子的有子。

12.9　哀公问于有若曰："年饥，用不足，如之何？"有若对曰："盍彻乎？"曰："二，吾犹不足，如之何其彻也？"对曰："百姓足，君孰与不足？百姓不足，君孰与足？"（《论语·颜渊》）

要理解这段话，还得先解释两个词："彻"和"二"。"彻"，是指国家抽取十分之一的田税。"二"，是国家抽取十分之二的田税。鲁国此时实行的是比较高的税率，是十分之二的税。

鲁哀公向有若问道："今年年成不好有饥荒，国家财政费用不足，怎么办呢？"

讲到这里，我们停一下，假设你现在面对鲁哀公，他向你提出了这个问题，我想，顺着这个思路，你一定会说：那就增加收入。如何增加收入呢？你又会想，增加税收和各种收费。想一想，是不是这个思路？如果照着这个思路，有子就不是有子，而是冉求了。冉求就是因为增加税收，为国家聚敛财富，加重人民负担，被孔子开除了。那么有子是什么思路呢？有子的思路很奇特，他说："为何不只收十分之一的税呢？"

哀公以为自己听错了，说："我现在收十分之二的税，还不够用，您怎么反而教我收十分之一的税呢？"有若说："你税收少一点，百姓就富足了，百姓富足了，国君怎么会不富足？你税收多一点，百姓就贫穷了，百姓穷了，国君怎么会富呢?”

这有子厉害啊。本来鲁哀公给他一个现成的套路，让有子帮他造造舆论，然后趁机就加税。没想到有子却反用这个套路，把鲁哀公套进去了：不但没有让他加税，而是让他减税，并且还说出“百姓足，君孰与不足？百姓不足，君孰与足?”这样的“藏富于民，民富国强”的价值观。有子不简单啊！有水平！我们说有子似孔子还是有一定的道理的！

这一讲我们讲了孟子、孔子和有子三人与别人的谈话。按说，对方都是带着套路来的，但是，这三个圣贤之人，都在套路面前大智大勇，不仅避开了套路，而且展现了自己的境界。所谓道高一尺，魔高一丈，说的就是这个意思吧。

第五十八讲 不以人废言

大家好，我是鲍鹏山，我们接着读《论语》。

在上一讲，我讲了孟子、孔子和有子三人在面对别人的谈话套路时，他们体现出来的高超的谈话技巧和坚定不移的价值观。有价值观做依靠，高超的谈话技巧做保障，他们最后稳稳地掌控了话语权。他们谈话的三个对象，都是带着套路来的，齐宣王想搞称霸，陈司败想试探孔子，鲁哀公想提高税收，他们都有私心。

那么，假如一个人是坏人，但是他话却说得对，怎么办呢？孔子还真对此表达过观点。

15.23　子曰："君子不以言举人，不以人废言。"（《论语·卫灵公》）

孔子说："君子不根据一个人的言论去提拔他，也不会因为一个人的人品不好而不听他的言论。”现在，有一个成语叫以人废言或因人废言，就是从这里来的。

◎阳货不让进

孔子在鲁国，有一个终生都纠缠他的人，这个人就是阳货。而且，这个人，还真是个坏人。至少在孔子的眼里，他就是个坏人。阳货在鲁国，一直做季氏的家臣，并且掌握着季氏一家的大权，最后甚至通过控制季氏而掌握了鲁国的大权。一个层次很低的家臣却掌控了国家，孔子把这个称之为“陪臣执国命”，这是《论语》16.2 里讲到的。这是孔子特别讨厌的一种现象，而阳货就是孔子特别讨厌的人了。

孔子 17 岁时就和阳货打过一次交道，那个时候阳货是鲁国权臣季平子的家臣，并且已经做到了季平子的大管家，季平子是当时鲁国的执政大臣，相当于鲁国的国务院总理。作为大管家的阳货就相当于鲁国的国务院办公厅主任，是一个很有实权的人物。根据《史记·孔子世家》记载，当年季氏要大宴鲁国士族子弟，从而登记注册，确定身份，而孔子此时正值丧母，腰束麻带，为了不致丢了身份，孔子只好穿着丧服前往参加这一次大会，但是最终被阳货挡在门外。

其实阳货本身就是一个藐视礼乐的人，他把孔子赶出来，倒并不是因为孔子穿着丧服赴会，他是取消了孔子的参会资格。他对孔子说：“我们季总理今天是宴请士族子弟，您的身份好像不是士族了吧。”孔子就这样被赶走了。

孔子要绖，季氏飨士，孔子与往。阳虎绌曰："季氏飨士，非敢飨子也。"孔子由是退。（《史记·孔子世家》）

阳货这么做，实际上是否定了孔子的身份，从而堵塞了孔子进入上流社会的通道，对孔子的打击几乎是致命的。孔子当时才十七岁，父母双亡，无依无靠，一点办法也没有。这是阳货和孔子第一次打交道。

◎阳货送来一头猪

三十年河东，三十年河西。三十多年后，阳货却要借重孔子了。鲁定公七年，季平子已死，季桓子继承了家长之位。阳货不知道用什么办法，竟然控制了季桓子和鲁定公，掌握了鲁国大权。但作为一名家臣，他这种违背政治游戏规则的暴得大名和暴得大权，使得他心里很虚怯。所以，他想培植自己的势力与群众基础。此时，孔子在鲁国办学已经二十年左右，一大批包括鲁国贵族子弟在内的青年才俊都是他的门生，孔子当时有着极大的声望与国际影响。阳货这个时候非常需要借重孔子，稳定自己，也稳定鲁国。

但是，对这样的乱臣贼子，孔子断然不可能和他合作。《论语·阳货》就生动地记载了两人在不期而遇的路上的交锋。我们来看一看这一章。

17.1　阳货欲见孔子，孔子不见。归孔子豚。孔子时其亡也，而往拜之。遇诸涂。谓孔子曰："来！予与尔言。"曰："怀其宝而迷其

邦，可谓仁乎？”曰：“不可。”“好从事而亟失时，可谓知乎？”曰：“不可。”“日月逝矣，岁不我与。”孔子曰：“诺，吾将仕矣。”（《论语·阳货》）

这是一段极有情趣的戏剧性情节。阳货先放出风声，想让孔子去见他。但孔子装作不知道，不去见。阳货没办法，便乘孔子不在家，送给他一只蒸熟的小猪。为什么阳货这么干呢？因为按那时的规矩，大夫给士（尚未做官的人）送礼物，如果士不在家，没能在家里接受礼物，就必须要回拜大夫。阳货此时是大夫，孔子此时也就是一个私立学校的校长，他就是一个士啊。所以阳货就是用一只蒸熟的小猪来逼着孔子回拜他，只要孔子拜访他了，不管怎么样，他就可以造舆论了，说孔子要和他合作了，等等。如果这样，阳货的目的就实现一大半了，所以他是一个很精于算计的人，但是孔子也不傻，孔子也打听到他不在家的时候，才假装去拜见。可是不巧得很——也可以说很巧——孔子在回来的路上遇到了阳货！

孔子一看前面来了阳货，赶紧拐弯，但是阳货已经看见他了。阳货此时权势很大，说话的口气也冲，一看到孔子要躲了，马上就说：“别躲，过来！我对你说话！”没办法，孔子只好转过身去，面对着阳货，阳货说：“一个人收藏起自己的才能而听任国家混乱，这叫仁吗？”

阳货这道理说得正派，孔子无奈，只好说：“不可。”阳货接着说：“你本来就喜欢从政却屡次错过机会。这能叫智吗？”阳货这道理也对啊。孔子只好又回答：“不可。”你注意到了吗？阳货说道理，简

洁明了。但是孔子回答呢？更加明了简洁，就是两个字“不可”。阳货有点急：“你别和我打哈哈。你明确告诉我，你来不来做官？”于是阳货又说了一句：“日月逝矣，岁不我与。”这话说得动情啊！如果说前两句，阳货是晓之以理，那这一句，就是对孔子动之以情：“孔先生，您五十多了吧？你还等什么？再等，人生还等得起吗？”

显然，这一瞬间，孔子几乎被感动了。当然了，孔子没有失去理智，孔子说：“好吧，我准备去做官。”注意孔子的回答是“吾将仕矣”，而不是“吾仕矣”。“吾仕矣”就是答应他了，“吾将仕矣”，是说我回去再想一想，考虑考虑，所以孔子并没有失去理智，他还是在应付。

我们看看这一段对话，阳货一心要逼孔子出来做官，帮他做事，他的每一句话都咄咄逼人，而孔子的每一句话都是在敷衍。阳货说话急切而带有威逼的意思，孔子是懒洋洋的又很无奈，可是却又不能和阳货公开决裂。阳货极刚，孔子极柔，极刚遇极柔，竟让阳货的拔山之力无处施放。看起来是阳货处处占上风得寸进尺，孔子是处处退守步步为营，但到最后，阳货大约只能悻悻而退，而孔子则施施而行。谁是真正的胜利者？

虽然阳货言之凿凿，敦之切切，而孔子也表现出不争不辩、洗耳恭听的风度，给了阳货足够的面子。但是，孔子其实也给了阳货一个明确的信号：“有你无我。只要你把持鲁国政坛，我就不可能出来从政。”

如果说孔子十七岁时，是阳货故意堵塞了孔子进入上层社会的通道；那么，三十多年后，在孔子临近五十岁的时候，阳货又以自己在鲁国政坛上的巨大非法存在，客观地堵塞了孔子进入政坛之路。

这，或许就是命运。圣人有时也无法跨越现实的障碍，只能在现实的厚壁面前，安静地等待，等待厚壁的坍塌。但是说到这里我要说，如果我们把阳货仅仅看作孔子一生中的消极元素，未免太简单了。他要孔子出仕，批评孔子是“怀宝迷邦”，这话说得是何等谆谆啊。提醒孔子“岁不我与”，这个告诫对孔子又是何等真切啊。孔子对阳货的话不争、不辩也不否定，后来宋朝的朱熹等人都认为孔子不屑于和阳货辩论。但是，我认为，阳货这三句话，真是句句在理啊，孔子本来就不因人废言，那他又从何而辩呢？

◎阳货倒台了

这次谈话过后，第二年，阳货就倒台了，逃到了齐国，孔子马上决然出仕，并开创了属于他的从政时代。不能说阳货的话对于孔子没有触动，孔子在五十知天命的年纪开始出来做官，我认为有阳货的点醒。

很多时候，改变我们人生轨迹的，常常是那些不同道的人。而那些不同道的人，往往成为我们人生中的积极因素。

这一讲我们就讲到这里，大家知道了，坏人也有言之有理的时候，不同道的人，也有可能很好地促进了我们发展。最后，我想问问你们，有没有遇到过什么人，和你们不同道，但是他说的有些话，却很好地影响了你呢？下一讲，我们一起和孔子，学会理清人生的轻重缓急！

第五十九讲 轻重缓急

大家好，我是鲍鹏山，我们一起接着读《论语》。

在第五十一讲，我们讲到，一个人有没有学问，就看他有没有学会问，而《论语》是教你学会问的教科书，当时我说了学会问有三层境界：第一，要巧妙地问，不是直通通地问；第二，要有思考地问；第三，你得知道你最需要关心什么问题，什么问题才是人生的最关键的问题。

我们前面几讲讲了两重境界，还顺便讲了“另类之问”以及“另类回答”，在这些“另类之问”里，我讲到了王孙贾的一个问题，在第五十七讲。王孙贾问曰：“与其媚于奥，宁媚于灶，何谓也？”

其实，这样的问题，不仅仅是逻辑问题，而且是言不及义。什么叫言不及义？就是说话不得要领，不触及本质，而且话里没有正义。正义就是正当的、正确的意义。王孙贾问孔子到底讨好哪一个神更重要，这就是一个没有正义的问题。因为人生的正义在于是非，而不是利害。在奥神和灶神之间选择，就是一个利害选择，而不是是非选择。神之所以为神，就因为他只论是非，不计利害。神不会保佑人，只会约束人。王孙贾根本就没有问到关键问题。拿这样一个讲利害、无正义的问题去问一个圣人，简直是对圣人的贬低。所以这一段，王孙贾的问题在哪里呢？王孙贾根本就不知道什么才是最重要的问题。

◎礼之本

我们现在来看看这一章：

3.4　林放问礼之本，子曰："大哉问！礼，与其奢也，宁俭；丧，与其易也，宁戚。"（《论语·八佾》）

林放，姓林，名放，字子上，鲁国人，可能也是孔子的弟子。为什么我说可能呢？因为司马迁《史记·仲尼弟子列传》里没列他。

林放向孔子请教礼的本原和根本，孔子一听，赞叹着说："这是很了不起的提问！我来回答你吧。举行礼仪，与其奢靡浪费，不如朴素节俭；办丧事，与其仪式周到，不如悲伤哀恸。"

为什么孔子要表扬林放的提问是"大哉问"？因为林放问的是"礼之本"，问礼，可以问一些细枝末节的问题，问一些不得要领的问题，比如王孙贾的问题。但林放，根本不问细枝末节的礼仪程序等等问题，这些问题他直接找一本书看就行了！他直接问礼的本，什么是礼的本？就是，我们为什么需要礼？制定这些礼节、礼数、礼仪的依据和目的是什么？

他直接问本质问题，直接关心最核心的问题，这才是学问的根本！

◎三次问仁，两次问知

为了更好地说明这个问题，我下面，就以孔子与樊迟之间的问答为例，来说说这个问题。

我们知道，孔子与樊迟，关系是比较近的，《论语》里面樊迟出现了6次，虽然比不上子贡、子路，但也算不错了。而且，我们还知道，他给孔子驾过车，我们在第九讲里讲过这一章，我们顺便复习一下：

2.5　孟懿子问孝，子曰："无违。"樊迟御，子告之曰："孟孙问孝于我，我对曰，无违。"樊迟曰："何谓也？"子曰："生，事之以礼；死，葬之以礼，祭之以礼。"（《论语·为政》）

从这一章，我们看出，孔子对樊迟还是比较关心的，他们的关系也还是比较亲近的。樊迟都能够给孔子驾车了！孔子对樊迟的关心表现在什么地方呢？孔子把他和孟懿子的对话拿出来和樊迟说，引导樊迟提问，然后孔子作答，从学会问的角度说，这简直是孔子在教樊迟问。所以说，孔子对樊迟的教育还是很用心的。

而且，樊迟在《论语》中有一个特别的表现，这个表现其他的弟子都没有。他竟然三次问仁，两次问知。这种情况真是很奇特。但是更奇特的是什么呢？面对着樊迟的三番五次提问，孔子还真的是不厌其烦地都回答了。说明什么呀？说明孔子对樊迟好啊！

我们来简单地先看一下这三次问仁，两次问知：

13.19　樊迟问仁，子曰："居处恭，执事敬，与人忠。虽之夷狄，不可弃也。"（《论语·子路》）

这在第三十六讲我们已经讲到了。这是一次问仁。孔子回答了。在第三十一讲，我们讲到过这一章：

12.22　樊迟问仁，子曰："爱人。"问知，子曰："知人。"（《论语·颜渊》）

这是一次问仁，一次问知。孔子又回答了。还有一处，是这一章：

6.22　樊迟问知，子曰："务民之义，敬鬼神而远之，可谓知矣。"问仁，曰："仁者先难而后获，可谓仁矣。"（《论语·雍也》）

◎樊迟挨骂

这又是一次问仁，一次问知。孔子还是回答了。我们在第五十二讲里讲到，孔子不是对所有人都诲人不倦的。但是，看起来，孔子对樊迟还真的做到了诲人不倦。很有意思的是，有一次，樊迟提问，孔子还真是一点也不客气地拒绝了！我们来看一看。

13.4　樊迟请学稼，子曰："吾不如老农。"请学为圃，曰："吾不如老圃。"樊迟出。子曰："小人哉，樊须也！上好礼，则民莫敢不敬；上好义，则民莫敢不服；上好信，则民莫敢不用情。夫如是，则四方之民襁负其子而至矣，焉用稼？"（《论语·子路》）

樊迟向孔子请教如何种庄稼。孔子说："我不如老农。"孔子拒绝回答。樊迟又请求学习种菜。孔子说："我不如老菜农。"孔子再次拒绝回答！孔子并不是不如老农、不如老菜农，樊迟既然拿这两个问题问孔子，说明孔子是懂得怎么种庄稼、怎么种菜的。之所以孔子说不如老农，不如老菜农，是因为孔子不愿意回答。孔子不仅拒绝回答，在樊迟出去以后，还大骂他是一个"小人"！

这是为什么呢？对樊迟一直有耐心、诲人不倦的孔子，面对樊迟这两个不算太难的问题，如此日常的问题，孔子为什么反而不回答了呢？

我先不解答，我们先把这个问题放下。我们再看下一章。在这一章，樊迟一口气问了孔子三个问题，孔子这一次不仅回答了，而且在回答前，还对他大加表扬。

我们还记得在第三十九讲里讲到了这一章：

12.21　樊迟从游于舞雩之下，曰："敢问崇德，修慝，辨惑。"子曰："善哉问！先事后得，非崇德与？攻其恶，无攻人之恶，非修慝与？一朝之忿，忘其身，以及其亲，非惑与？"（《论语·颜渊》）

这个樊迟，有一天，和孔子一起，在鲁国的舞雩台下面散步，樊迟就问了："老师，今天就我们两个人在一起，我想问您三个问题。"哪三个问题呢？崇德，修慝，辨惑。崇德就是提高德性。修慝就是消除邪念。辨惑就是辨别迷惑。樊迟的问题是："老师我想问您，一个人，如何才能提高自己的德性，消除自己不正当的欲望，辨别生命中的迷惑呢？"这三个问题问出来之后，孔子首先就对他大加赞赏，说

“善哉问”，大意为，小子，你这次问得好啊！然后孔子就给他一一作答。

为什么孔子拒绝樊迟学稼、为圃的问题，却对崇德、修慝、辨惑的问题，大加赞赏并给予回答呢？为什么孔子不厌其烦回答樊迟的三次问“仁”、两次问“知”，却拒绝回答他的学稼、为圃呢？很简单，孔子是在告诉樊迟，也是在告诉我们人生的轻重缓急。

学稼、为圃，是技术问题，很多人都不会，也可以不会，不会没有问题，没有关系，不影响你的人生。但是，崇德，修慝，辨惑，是人生问题、价值观问题。是每一个人都不可以不会的问题，不会要出大问题。

人生的问题，主要不是知识问题，而是伦理问题；不是认知事物，而是判断价值；用儒家的话来说，不是道问学，而是尊德性。人的一生，“生也有涯，而知也无涯”。以我们有限的生命，你怎么可能认知无限的事物呢？这不可能，也不必要。

人之一生，生而为人，当知做人。这非常必要。以人格自立于众生之林，为万物之灵长，怎么能够不知是非，不辨善恶，不识美丑？

所以，一个人，假如你不从事农民这个职业，你不会种田，不会种菜，没有关系。你的爸爸妈妈会种田、会种菜吗？会了当然好，不会了有关系吗？而农民，他也可以不会造汽车，不会治病，不会写诗。世上三百六十行，我们从事一行精通一行就行了。其他行当的知识和技术，我们可以不知道，不知道也一点儿关系都没有。但是一个人，如果德性很差，是非不辨，并且脑子里装满了邪念，会怎么样？就两个字：毁灭。所以，学问的最高境界是什么？学问的最高境界是问一问自己要做什么样的人。这是所有问题中最根本的问题。那么这个问题的答案是什么呢？就是《大学》里的这一句话："自天子以至于庶人，壹是皆以修身为本。"《大学》是一本书，为什么这本书叫《大学》呢？书名叫《大学》就是告诉我们，这本书的学问就是学着让自己"大"起来，成为大人！孔子办的学校，是什么学校？是大学！就是让人"大"起来的学校。《论语》里孔子讲的是什么学问？就是大学问，是人生的根本性学问！

这一讲我们就讲到这里，我们知道人生有很多问题要分轻重缓急。最后，我留一个讨论题：当前，对你来说，人生中最重要的是什么呢？在你的成长过程中，什么东西是最必要的？下一讲，我将讲讲如何走遍天下都不怕，我们下一讲再说！

第六十讲 如何走遍天下都不怕

大家好，我是鲍鹏山，我们一起接着读《论语》。

上一讲我讲了人生的轻重缓急，人的一生有三种境界：谋生、谋智与谋道。谋生是为了养活自己，需要学习手艺、技术和专业；谋智是为了认知世界，需要学习各种有关知识；而谋道是为了认同价值，我们需要有道德和信仰，我们需要有是非判断力。有道德，有信仰，有是非判断力，有审美判断力，是什么？是“成人”，成就了高尚人格，有了一个高尚的人生。

我们来看看《荀子·劝学》篇是怎么说学习的：“学恶乎始？恶乎终？曰：其数则始乎诵经，终乎读礼；其义则始乎为士，终乎为圣人。”荀子的意思是，我们的学习应该从什么地方开始，又在什么地方结束呢？然后他自问自答：先读经典再学礼仪；先做读书人，然后努力读书做圣人。

荀子接着说："古之学者为己，今之学者为人。君子之学也，以美其身；小人之学也，以为禽犊。""古之学者为己，今之学者为人"，这是《论语》中记载的孔子的话，在14.24，荀子在这个地方就直接引用了。孔子的意思是，古代那些学习的人，是为了在学问和道德上完善自己；现在那些学习的人，是为了装饰门面向别人展示。我们今天学习，为了拿一个文凭，然后展示给别人，从而找一份工作，也属于学以为人。学习有利于找到工作，为找工作而学习也完全可以，是必要的。但是，学习的最终和最崇高的目标，是自家境界的提升，是自己心智的发育和认知能力的提高。所以，"学者为己"，就是提升自己。荀子还接着说："君子之学也，以美其身；小人之学也，以为禽犊。"什么意思啊？君子学习，是为了自身的完美，小人学了半天，可能知识有了，技能也有了，但是，没有道德修养。没有是非善恶的观念和辨析能力，终于还是一个坏人。荀子讲的，是一个禽兽。

◎一封信

曾经，有一句话流传很广而且流传很久：学会数理化，走遍天下都不怕。真是这样吗？

我看到过这样一个故事。

有一个父亲，一天晚上下班回家，看到女儿的房间整理得整整齐齐，他一下子有了不祥的预感，因为他十五岁的女儿的房间从来没有这么整齐过。他走进女儿的房间，果然看到女儿留在床上的一封信。

我们来读一读这封信：

亲爱的爸爸，我在写这封信时，心中充满内疚和不安，但我还是得告诉你，我就要离家出走了。为了避免你和母亲的阻挠，我和男友兰迪必须这样私奔。我和兰迪已经是一体的了，谁也不能把我们分开。我相信，你们见到兰迪也会喜欢他的。他身上文刺了各种图案，他的服装很另类、很前卫，他的发型独一无二。我和他之间不但难舍难分，而且，我已经有了身孕。

注意哦，这个女儿 15 岁。我们再往下看。

兰迪说，他要这个孩子，以后我们三个人会幸福地生活在一起。我想，我们肯定会幸福的，虽然兰迪的年龄比我稍大一点。男人 42 岁，在现今这个社会不算太老，是吧？

这位父亲读着这封信，他也不断地在崩溃。我们接着往下读这封信。

兰迪也没有什么钱，但是，那些不应该成为我们感情的障碍，你们说对吗？我们打算到深山老林里去，搭一间小木屋。我们已经在那准备好了过冬需要的木柴。当然，兰迪还有好几位女友，可是，我知道他会以他的方式对我表示忠诚的。他说，他要和我生好多好多孩子，这也是我的梦想。

读到这个故事，你们觉得兰迪是什么样子的人啊？四十多岁，浑身刺青，衣服、发型很古怪，还有好几个女人，而这个父亲的十五岁的女儿跟他私奔了。到了这个时候，父亲几乎昏厥过去了。这时，他看到最后的几个字："未完，见反面。"

他慌忙把信翻过来，那里有几行字：

> 爸爸，刚才你读到的文字都不是真的。真实的情况是，我在隔壁邻居的家中，我只想让你知道，生活中有好多事情比我的成绩单要糟糕得多。我的成绩单放在书桌中间的抽屉里，请您签上名，然后给我打电话，让我确信可以平安回家了。

这个女孩太了不起了！她用一封信告诉我们什么才是最可怕的，什么才是最重要的。他的父亲，以前一直觉得考试成绩最重要，现在，他一定明白了：平时学习成绩不够好，也没关系，只要她没有跟兰迪私奔；女儿的钢琴没弹好，没关系；她的舞也跳不好，也没关系；她的绘画不怎么样，也都没关系：只要她没跟兰迪私奔。一个女孩子，一次两次考试没考好，唱歌、跳舞、钢琴、绘画不怎么好，都真的不影响她的未来，但是，假如她爱上了兰迪这样一个男人，哪怕一次，她就没有了未来。人海茫茫，人生漫长，谁知道前方有什么在等着我们？所以，我们能做的，是把握好自己，不要在至关重要的事情上判断失误啊！

你可能会注意到，我在这门课里，在讲《论语》的时候，我在反复讲三个字：判断力。为什么呢？因为《论语》整本书，也就是在讲三个字：判断力。什么叫判断力？这就是判断力。判断力，不是指在一张考卷的ABCD里做选择，而是指在生活中做判断，这个判断我称之为“价值判断”。有人可能在知识类试卷的标准答案上选择有错，有些人则是在人生的是非判断上有错，你们觉得哪一个出错才是致命的呢？

一部《论语》五百多章，就是五百多道价值判断题。读《论语》，就是和孔子老师，以及颜回、子贡、子路同学，一起学会做判断。

我有一个朋友，他生意做得很好，儿子教育也很成功，在国外读了博士，又在国内的一所非常好的大学谋到了教职。有一天，我这个朋友请我喝酒，在酒桌上，他跟我说：中国发展到今天，生产力水平达到这样的高度，社会保障也做得好的话，一个人要饿死、冻死，是不大可能的。

我说，是的。但他接着说了一句话：“但是作死，却是非常可能的！”我一听，马上敬他一杯酒：“你说得好！你比我们很多人都更明白教育的核心使命！”今天，那些在监狱中的贪官污吏，哪一个不是学好了数理化？哪一个是饿死，冻死的？哪一个不是作死的？而教育能教人不作死！说起走遍天下都不怕，《论语》里还真有学生问过这样的问题。

◎走遍天下都不怕

15.6　子张问行，子曰：“言忠信，行笃敬，虽蛮貊之邦，行矣。言不忠信，行不笃敬，虽州里，行乎哉？立则见其参于前也，在舆则见倚于衡也，夫然后行。”子张书诸绅。（《论语·卫灵公》）

半部论语治天下
一卷儒学悟人生

我把这一段翻译一下，子张问孔子："老师，如何才能走遍天下都不怕？"孔子说："说话忠信，行为笃敬，走遍天下都不怕。说话不忠信，行为不笃敬，本乡、本土也待不下。小子，你把'忠信笃敬'牢记在心，平时这几个字就如同直立在眼前；坐车，仿佛看见这几个字斜刻在车辕的横木上，这样，你就能走遍天下都不怕了！"

子张后来就把这几个字写在自己的衣带上，走遍天下。原来，让我们走遍天下都不怕的，不是我们有知识技能，而是我们有什么样的德性和品行！

在上一讲，我们讲到了 13. 19 樊迟问仁。

实际上，这一处的樊迟问仁，是樊迟问行，也是樊迟在问老师如何走遍天下都不怕。孔子的回答是三个字：恭、敬、忠。

讲到这里，我要问一下，走遍天下，到底是要数理化，还是要恭、敬、忠？

我的回答是：都要。数理化是我们的知识和能力，恭敬忠是我们的德性和性格！

《论语》是中国人为人处世的一本正经。我们读了《论语》，一本正经在心中，数理化在手上，走遍天下，我们都是受人欢迎、被人爱戴的人！

《论语》课我们就讲到这里了。我的这一课程，也到此就告一段落了，我们用了六十讲来讲《论语》，《论语》总共 20 篇，500 多章，我们在这六十讲里，大约讲了 200 多章，这个篇幅，已经超过了现在任何一门大中小学的《论语》课了。但是，我还要跟你们说，我们还没有能够做到整本书阅读，而且更重要的是什么呢？《论语》思想的深刻和智慧的广大，是需要我们终身去领悟的，我们的这一门课程，就算是你一生中最初的，也是最切实的和《论语》的亲密接触吧。

《少年〈论语〉课》增值好礼

扫描二维码，可以**免费**获得 2 门精选课程，

体味中国文化之美。

《少年〈论语〉课》精选集

著名学者鲍鹏山，带孩子品读中华文化的源代码《论语》

- 主题式讲解直达价值核心，4 大模块：学习、生活、气质、人生
- 在故事中交付有温度的知识，学习重要历史人物和文化知识
- 在生活中把《论语》用起来，让孩子深刻理解，活学活用

扫码领取 10 节好课

《鲍鹏山讲“水浒”》精选集

百家讲坛名师鲍鹏山，带孩子逐章精讲《水浒传》

- 带孩子走进《水浒传》的世界，通过这部大书，了解人，了解人性，了解人生百态
- 全面串讲《水浒传》中的人物，真正读懂英雄
- 读懂人生大智慧，收获智慧、胸襟、人生境界

扫码领取 30 节好课